#홈스쿨링
#초등 영어 기초력

요즘은 혼공시대!
사교육 없이도 영어 기초력을 탄탄하게 쌓아 올리는 법,
똑똑한 하루 VOCA가 정답입니다.
똑똑한 엄마들이 선택하는 똑똑한 교재!
엄마들의 영어 고민을 덜어 줄 어휘 교재로 강추합니다.

영어책 만드는 엄마_ 이지은

영어는 스스로 재미를 느끼며 공부해야 실력이 늘어요.
똑똑한 하루 VOCA는 자기주도학습을 매일 실천할 수 있도록
설계되어 있어, 따라 하기만 해도 공부 습관을 키울 수 있어요.
재미있는 만화와 이미지 연상을 통해 영어 단어를 오래
기억하며 알차게 공부할 수 있어요.

미쉘 Michelle TV_ 김민주

똑똑한 하루 VOCA
시리즈 구성 Level 1~4

Level 1 A, B
3학년 과정

Level 2 A, B
4학년 과정

Level 3 A, B
5학년 과정

Level 4 A, B
6학년 과정

똑똑한 하루 VOCA만의

똑똑한
부가 자료

책 속 부록

어휘 리스트

단어 카드

온라인 자료

QR앱

▷ 링크 없이 음원이 바로
재생되는 편리한 QR앱을
무료로 다운 받으세요.

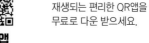

추가 활동지

▷ 단어 테스트지 외
다양한 추가 활동지를
book.chunjae.co.kr
에서 다운 받으세요.

4주 완성 스케줄표

★ 공부한 날짜를 써 봐!

1B **1주**

1일 8~17쪽	**2**일 18~23쪽	**3**일 24~29쪽	**4**일 30~35쪽	**5**일 36~41쪽
단어 사물	단어 음식	단어 동물	단어 학용품	단어 동작
월 일	월 일	월 일	월 일	월 일

특강
42~49쪽
월 일

힘을 내! 넌 최고야!

2주

5일 78~83쪽	**4**일 72~77쪽	**3**일 66~71쪽	**2**일 60~65쪽	**1**일 50~59쪽
단어 동작	단어 가족	단어 숫자	단어 숫자	단어 과일
월 일	월 일	월 일	월 일	월 일

특강
84~91쪽
월 일

계획대로만 하면 금방 끝날 거야!

배운 단어는 꼭꼭 복습하기!

3주

1일 92~101쪽	**2**일 102~107쪽	**3**일 108~113쪽	**4**일 114~119쪽	**5**일 120~125쪽
단어 동물 묘사	단어 색깔	단어 신체	단어 날씨	단어 동작
월 일	월 일	월 일	월 일	월 일

특강
126~133쪽
월 일

마지막 4주 공부 중. 감동이야!

4주

특강	**5**일 162~167쪽	**4**일 156~161쪽	**3**일 150~155쪽	**2**일 144~149쪽	**1**일 134~143쪽
168~175쪽	쓰기 할 수 있는 것 묻기	쓰기 개수 묻기	쓰기 무엇인지 묻기	쓰기 좋아하는 것 묻기	쓰기 확인하기
월 일	월 일	월 일	월 일	월 일	월 일

똑똑한 하루 VOCA 1B
똑똑한 QR앱 사용법

앱을 다운 받으세요.

편하고 똑똑하게!

방법 1
QR 음원 편리하게 듣기
1. 앱 실행하기
2. 교재의 QR 코드 찍기

링크 없이 음원이 자동 재생!

방법 2
모든 음원 바로 듣기
1. 앱 우측 하단의 ➕ 버튼 클릭
2. 해당 Level → 주 → 일 클릭!

원하는 음원 찾아 듣기와 찬트 모아 듣기 가능!

Chunjae
Makes
Chunjae

▼

편집개발	김윤미, 하유미, 한새미, 박영미
디자인총괄	김희정
표지디자인	윤순미, 박민정
내지디자인	박희춘, 이혜미
삽화	윤재홍, 오연주, 박혜림, 김동윤, 단별
제작	황성진, 조규영

발행일	2020년 12월 1일 초판 2020년 12월 1일 1쇄
발행인	(주)천재교육
주소	서울시 금천구 가산로9길 54
신고번호	제2001-000018호
고객센터	1577-0902
교재 내용문의	(02)3282-8885

똑 똑 한

하루
VOCA

Yeah!

1
B
3학년 영어

똑똑한 하루 VOCA ★ LEVEL 1 B ★
구성과 활용 방법

한 주 미리보기

미리보기 만화

미리보기 활동

단어 1~3주

재미있는 만화를 읽으며
오늘 배울 단어의 의미를 추측해요.

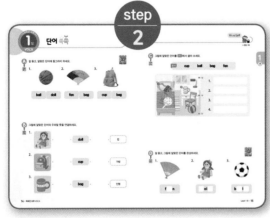

듣기부터 쓰기까지 다양한 문제를 풀어 보며
단어를 익혀요.

• 의미를 생각하며 문장 속에서 단어를 익혀요.
• 오늘 배운 단어를 복습하며 확인해요.

QR앱을 다운
받아 보세요!

쓰기
4주

step
1

재미있는 만화를 읽으며
오늘 배울 표현의 의미를 추측해요.

step
2

단어와 표현의 의미를 생각하며 문장을 써요.

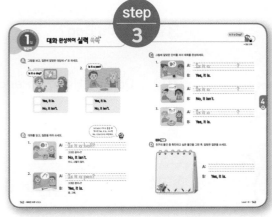

step
3

• 배운 표현의 의미를 생각하며 대화를 완성해요.
• 스스로 생각해서 문장을 써요.

Brain Game Zone

한 주 동안 배운 내용을 창의·사고력 게임으로
재미는 두배, 사고력은 UP!

말판 놀이

창의·사고력 게임

똑똑한 하루 VOCA **공부할 내용**

3주 단어

4주 쓰기

알파벳 이름과 소리

알파벳의 이름과 소리를 알아보세요.

에이 **Aa** [애]	비 **Bb** [ㅂ]	씨 **Cc** [ㅋ]	디 **Dd** [ㄷ]
이 **Ee** [에]	에프 **Ff** [ㅍ]	쥐 **Gg** [ㄱ]	에이취 **Hh** [ㅎ]
아이 **Ii** [이]	제이 **Jj** [ㅈ]	케이 **Kk** [ㅋ]	엘 **Ll** [ㄹ]
엠 **Mm** [ㅁ]	엔 **Nn** [ㄴ]	오우 **Oo** [아]	피 **Pp** [ㅍ]
큐 **Qq** [ㅋ]	알 **Rr** [뤄]	에스 **Ss** [ㅅ]	티 **Tt** [ㅌ]
유 **Uu** [어]	브이 **Vv** [ㅂ]	더블유 **Ww** [워]	엑스 **Xx** [ㅋㅅ]
와이 **Yy** [이여]	지 **Zz** [ㅈ]		

Tip
알파벳은 모음 5개, 자음 21개로 이루어져 있어.
한글에는 없는 발음도 있으니 유의해야 해.

함께 공부할 친구들

호기심 많은
장난꾸러기

포키의
제일 친한 친구

워미 ▶ 좋아하는 것: 초록 잎사귀 채소
싫어하는 것: 포키 없이 놀기
잘하는 것: 꿈틀 댄스

포키 ▶ 좋아하는 것: 달콤한 사탕
싫어하는 것: 목욕하기
잘하는 것: 워미 챙기기

모르는 것이 없는
똑똑이

마음 따뜻한
명랑 소녀

진우 ▶ 나이: 10살
좋아하는 것: 친절하게 설명해 주기
싫어하는 것: 무서운 놀이 기구

우정 ▶ 나이: 10살
좋아하는 것: 스케이트 타기
싫어하는 것: 징그러운 벌레(워미는 빼고!)

♥ 재미있는 이야기로 이번 주에 공부할 내용을 알아보세요.

1주차 공부할 내용

1일 **It's a Doll** 사물

2일 **I Like Pizza** 음식

3일 **Is It a Dog?** 동물

4일 **Do You Have a Pencil?** 학용품

5일 **Sit Down, Please** 동작

이번 주에는 무엇을 공부할까? ❷

◉ 여러분의 가방에 들어 있는 물건에 동그라미 해 보세요.

B

포키야, 나 여기에 나갈래. 연습하는 것 좀 도와줘.

좋아.

재빠른 애벌레 선발 대회

이리 와!

앉아! 일어서!

선발 대회 당일

헉, 저렇게 다리가 많은 애들을 어떻게 이겨?

재빠른 애벌레 선발 대회

◉ 여러분이 교실에서 가장 자주 듣는 지시의 말에 동그라미 해 보세요.

come

open

close

sit

stand

그것은 인형이야 단어
It's a Doll

💜 **재미있는 이야기로 오늘 배울 단어를 만나 보세요.**

※ **오늘 배울 단어를 들으며 따라 말해 보세요.**

bag
가방

ball
공

doll
인형

fan
부채

cup
컵

● 찬트 해 보세요.

단어 쑥쑥

A 잘 듣고, 알맞은 단어에 동그라미 하세요.

1.

ball	doll

2.

fan	bag

3.

cup	bag

B 그림에 알맞은 단어와 우리말 뜻을 연결하세요.

1.

 ·   · doll ·   · 컵

2.

 ·   · cup ·   · 가방

3.

 ·   · bag ·   · 인형

1
주

C 그림에 알맞은 단어를 보기 에서 골라 쓰세요.

단어
쓰기

보기 **cup** **ball** **bag** **fan**

1.

2.

3.

4.

D 잘 듣고, 그림에 알맞은 단어를 완성하세요.

단어
완성

4

1.

f ☐ n

2.

☐ o l

3.

b ☐ l ☐

문장 쑥쑥

▶ 정답 1쪽

 A 단어를 읽고, 어구를 따라 쓰세요.

어구쓰기

1.

cup
컵

→ a cup

컵 한 개

2.

doll
인형

→ a doll

인형 한 개

'It's a(n) + 사물 이름.'은 '그것은 ~야.'라는 뜻이에요.

 **B** 그림에 알맞은 단어를 보기 에서 골라 문장을 완성하세요.

문장쓰기

1.

It's a   .

그것은 가방이야.

2.

It's a   .

그것은 부채야.

3.

It's a   .

그것은 공이야.

보기   bag   fan
      cup   ball

실력 쑥쑥

It's a Doll

▶정답 1쪽

1
주

A 잘 듣고, 알맞은 단어에 동그라미 한 후 우리말 뜻을 쓰세요.

1.
doll
cup

뜻 _____

2.
bag
fan

뜻 _____

3.
cup
ball

뜻 _____

B 그림에 알맞은 단어가 되도록 알파벳을 바르게 배열하여 쓰세요.

1.

a l b l

2.

l d l o

3.

c p u

4.

g a b

 차곡차곡 복습!

● 단어를 듣고, 우리말 뜻을 말해 보세요.

도전!
1회 ☐ 2회 ☐ 3회 ☐

나는 피자를 좋아해

단어

I Like Pizza

💜 **재미있는 이야기로 오늘 배울 단어를 만나 보세요.**

1
주

📷 1

🌸 **오늘 배울 단어를 들으며 따라 말해 보세요.**

chicken
닭고기

pizza
피자

bread
빵

salad
샐러드

fish
생선

● 찬트 해 보세요.

단어 쑥쑥

A 잘 듣고, 알맞은 단어를 골라 기호를 쓰세요.

단어
듣기

ⓐ **chicken**　　ⓑ **pizza**　　ⓒ **bread**

1.

2.

3.

B 그림에 알맞은 단어를 연결하세요.

의미
연결

1.

생선

2.

빵

· **chicken** ·

· **bread** ·

· **salad** ·

· **fish** ·

3.

샐러드

4.

닭고기

C 그림에 알맞은 단어를 보기 에서 골라 쓰세요.

보기   salad   pizza   bread   fish

1.

2.

3.

4.

D 그림을 보고, 퍼즐을 완성하세요.

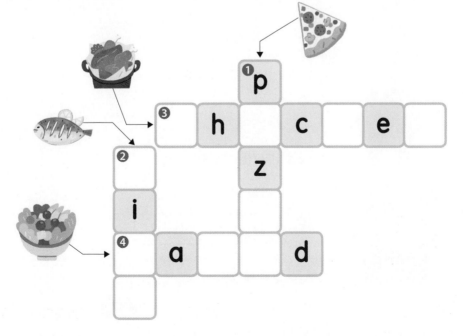

문장 쑥쑥

▶정답 2쪽

A 단어를 읽고, 문장 속에서 따라 쓰세요.

문장
완성

1.

salad
샐러드

→ **I like** salad.

나는 샐러드를 좋아해.

2.

fish
생선

→ **I like** fish.

나는 생선을 좋아해.

좋아하는 음식을 말할 때는
'I like + 음식 이름.'으로
표현해요.

B 그림에 알맞은 단어를 보기 에서 골라 문장을 완성하세요.

문장
쓰기

1.

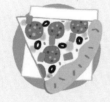

I like _____.

나는 피자를 좋아해.

2.

I like _____.

나는 닭고기를 좋아해.

3.

I like _____.

나는 빵을 좋아해.

보기	bread	fish
	pizza	chicken

복습

실력 쑥쑥

▶ 정답 2쪽

A 잘 듣고, 알맞은 단어에 동그라미 한 후 우리말 뜻을 쓰세요.

1.
| fish |
| chicken |

뜻 _____

2.
| bread |
| salad |

뜻 _____

3.
| fish |
| pizza |

뜻 _____

B 그림에 알맞은 단어가 되도록 알파벳을 바르게 배열하여 쓰세요.

1.
a l s d a

[   ]

2.
d r a b e

[   ]

3.
z a p z i

[   ]

4.
h f s i

[   ]

차곡차곡 복습!

◉ 단어를 듣고, 우리말 뜻을 말해 보세요.

도전!
1회 ☐ 2회 ☐ 3회 ☐

그것은 개니?

Is It a Dog?

단어

❤ 재미있는 이야기로 오늘 배울 단어를 만나 보세요.

☸ 오늘 배울 단어를 들으며 따라 말해 보세요.

dog
개

cat
고양이

duck
오리

pig
돼지

bird
새

● 찬트 해 보세요.

단어 쑥쑥

A 잘 듣고, 알맞은 단어에 동그라미 하세요.

 단어 듣기

1.

dog	duck

2.

pig	bird

3.

cat	dog

B 그림에 알맞은 단어를 연결하세요.

 의미 연결

1.

고양이

2.

돼지

bird

pig

cat

dog

3.

새

4.

개

1
주

C 그림에 알맞은 단어를 보기 에서 골라 쓰세요.

단어
쓰기

보기 **pig   dog   bird   duck**

1.

2.

3.

4.

D 잘 듣고, 그림에 알맞은 단어를 완성하세요.

단어
완성

1.

□ a □

2.

b □ r

3.

□ u c

일 **VOCA**

문장 쑥쑥

정답 3쪽

A 단어를 읽고, 어구를 따라 쓰세요.

1.

bird 새 → a bird

새 한 마리

2.

cat 고양이 → a cat

고양이 한 마리

B 그림에 알맞은 단어를 보기 에서 골라 문장을 완성하세요.

'Is it + a(n) 동물 이름?'은 어떤 동물인지 확인하는 표현이에요.

1. Is it a _____ ?

그것은 돼지니?

2. Is it a _____ ?

그것은 오리니?

3. Is it a _____ ?

그것은 개니?

보기 **pig duck bird dog**

실력 쑥쑥

▶정답 3쪽

A 잘 듣고, 알맞은 단어에 동그라미 한 후 우리말 뜻을 쓰세요.

1.

cat

pig

뜻 _____

2.

bird

dog

뜻 _____

3.

pig

duck

뜻 _____

B 그림에 알맞은 단어가 되도록 알파벳을 바르게 배열하여 쓰세요.

1.

t c a

2.

u c d k

3.

d r i b

4.

i g p

차곡차곡 복습!

◉ 단어를 듣고, 우리말 뜻을 말해 보세요.

도전!
1회 ☐ 2회 ☐ 3회 ☐

똑똑한 하루

4일

VOCA

너는 연필을 가지고 있니?

단어

Do You Have a Pencil?

💜 **재미있는 이야기로 오늘 배울 단어를 만나 보세요.**

1
주

✳ 오늘 배울 단어를 들으며 따라 말해 보세요.

pencil
연필

eraser
지우개

ruler
자

book
책

pen
펜

● 찬트 해 보세요.

단어 쑥쑥

3

A 잘 듣고, 알맞은 단어를 골라 기호를 쓰세요.

단어
듣기

ⓐ ruler   ⓑ book   ⓒ pencil

1.

2.

3.

B 그림에 알맞은 단어와 우리말 뜻을 연결하세요.

의미
연결

1.    ·   · ruler ·   · 지우개

2.    ·   · eraser ·   · 펜

3.    ·   · pen ·   · 자

▶정답 4쪽

C 그림에 알맞은 단어를 찾아 동그라미 한 후 빈칸에 쓰세요.

단어
쓰기

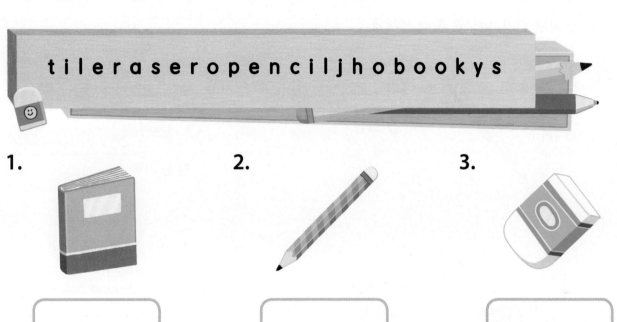

t i l e r a s e r o p e n c i l j h o b o o k y s

1.

2.

3.

D 그림을 보고, 퍼즐을 완성하세요.

단어
완성

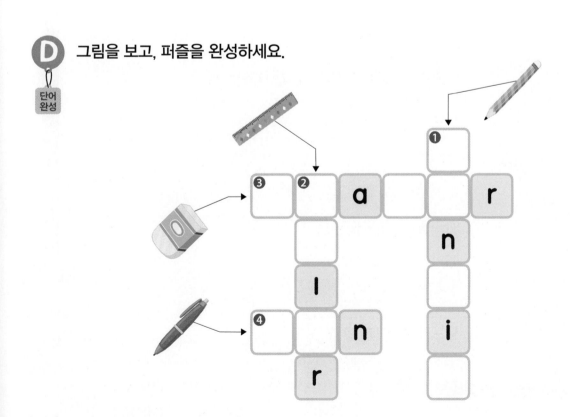

문장 쑥쑥

▶정답 4쪽

A 단어를 읽고, 어구를 따라 쓰세요.

어구 쓰기

1.

pen
펜

→ a pen

펜 한 자루

2.

eraser
지우개

→ an eraser

지우개 한 개

어떤 것을 가지고 있는지 묻는 표현은 'Do you have a(n) + 물건 이름?'이에요.

B 그림에 알맞은 단어를 보기 에서 골라 문장을 완성하세요.

문장 쓰기

1. Do you have a　　　　?

너는 자를 가지고 있니?

2. Do you have a　　　　?

너는 연필을 가지고 있니?

3. Do you have a　　　　?

너는 책을 가지고 있니?

보기　eraser　ruler
book　pencil

A 잘 듣고, 알맞은 단어에 동그라미 한 후 우리말 뜻을 쓰세요.

1.

pen
book

뜻 _____

2.

pencil
ruler

뜻 _____

3.

eraser
pen

뜻 _____

B 그림에 알맞은 단어가 되도록 알파벳을 바르게 배열하여 쓰세요.

1.

e p n

2.

b o k o

3.

r a s e r e

4.

e r u l r

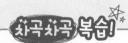 복습!

● 단어를 듣고, 우리말 뜻을 말해 보세요.

도전!

| 1회 | 2회 | 3회 |

앉아 줘

Sit Down, Please

단어

💜 재미있는 이야기로 오늘 배울 단어를 만나 보세요.

❄ **오늘 배울 단어를 들으며 따라 말해 보세요.**

come
오다

open
열다

close
닫다

sit
앉다

stand
서다

찬트 해 보세요.

5일 VOCA

단어 쑥쑥

A 잘 듣고, 알맞은 단어에 동그라미 하세요.

단어
듣기

1.

| open | close |

2.

| stand | sit |

3.

| come | close |

B 그림에 알맞은 단어를 연결하세요.

의미
연결

1.

닫다

open

sit

close

stand

2.

앉다

3.

서다

4.

열다

▶정답 5쪽

C 그림에 알맞은 단어를 보기 에서 골라 쓰세요.

단어
쓰기

보기   **open   stand   come   sit**

1.

2.

3.

4.

D 잘 듣고, 그림에 알맞은 단어를 완성하세요.

단어
완성

1.

2.

3.

c ☐ m ☐

☐ lo ☐ e

st ☐ n ☐

문장 쑥쑥

A 단어를 읽고, 문장 속에서 따라 쓰세요.

문장
완성

1.

open
열다

→ Open **the box, please.**

상자를 열어 줘.

2.

stand
서다

→ Stand **up, please.**

일어서 줘.

> 지시하는 말을 할 때는
> 동작을 나타내는 말로 시작해요.
> please를 붙이면 공손한
> 표현이 돼요.

B 그림에 알맞은 단어를 보기 에서 골라 문장을 완성하세요.

문장
쓰기

1.

here, please.

여기로 와 줘.

2.

the window, please.

창문을 닫아 줘.

3.

down, please.

앉아 줘.

보기	Come	Sit
	Open	Close

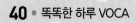

A 잘 듣고, 알맞은 단어에 동그라미 한 후 우리말 뜻을 쓰세요.

1.

close
stand

뜻 _____

2.

sit
open

뜻 _____

3.

come
sit

뜻 _____

B 그림에 알맞은 단어가 되도록 알파벳을 바르게 배열하여 쓰세요.

1.

c e s l o

2.

c e m o

3.

o n e p

4.

t s i

차곡차곡 복습!

◉ 단어를 듣고, 우리말 뜻을 말해 보세요.

도전!
1회 ☐ 2회 ☐ 3회 ☐

배운 내용을 떠올리며 말판 놀이를 해 보세요.

6. 그림과 단어가 일치하면 ○ 표, 일치하지 않으면 × 표 하세요.

doll ☐

7. 그림을 보고 알파벳을 바르게 배열하여 단어를 쓰세요.

lurer → _____

5. 그림을 보고 알맞은 단어에 동그라미 하세요.

stand

sit

4. 단어를 읽고 알맞은 우리말 뜻에 ✔ 표 하세요.

bird

새 ☐

고양이 ☐

3. 그림에 알맞은 단어를 완성하세요.

s__la__

2. 단어를 읽고 알맞은 우리말 뜻과 연결하세요.

open · · 열다

pig · · 돼지

1. 단어를 읽고 알맞은 그림에 동그라미 하세요.

eraser

START

그림과 단어가 일치하면 ○ 표,
일치하지 않으면 × 표 하세요.

cup ☐

9. 단어를 읽고 알맞은 우리말
뜻에 ✔ 표 하세요.

bag
부채 ☐
가방 ☐

10. 단어를 읽고 알맞은 그림에
동그라미 하세요.

come

14. 그림에 알맞은 단어를 완성
하세요.

__re__d

13. 단어를 읽고 알맞은 우리말
뜻과 연결하세요.

fish · · 책

book · · 생선

11. 그림을 보고 알파벳을 바르게
배열하여 단어를 쓰세요.

cukd

→ _____

12. 그림을 보고 알맞은 단어에
동그라미 하세요.

pizza

chicken

A 동물 농장에서는 사육사의 허락이 있는 동물만 만질 수 있어요. 그림에 알맞은 단어를 완성하고 만질 수 있는 동물 그림에 동그라미 한 후, 빈칸에 쓰세요.

do☐   c☐t   d☐ck   pi☐

알파벳 g나 a가 들어간 동물은 만질 수 없어요.
u가 들어간 동물만 만질 수 있어요.

B 생쥐가 집에 들어와 우정이의 물건을 가져갔어요. 생쥐의 발자국이 찍힌 글자를 바르게 배열하여, 생쥐가 가져간 물건이 무엇인지 쓰세요.

bag   ball   cu🐾   doll

fa🐾   pencil   🐾raser   ruler

C 친구들이 미술 시간에 자신이 좋아하는 음식을 그리고 있어요. 단서 를 보고 표를 채워, 친구들이 좋아하는 음식이 무엇인지 쓰세요.

단서
1. 친구들은 좋아하는 음식이 모두 달라요.
2. 민호는 bread를 좋아해요.
3. 소희는 pizza를 좋아하지 않아요.
4. 재민이는 fish를 좋아하지 않아요.

	민호	소희	재민
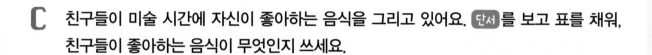 pizza	✕		
bread	○		
fish	✕		

1.  민호

2.  소희

3.  재민

D 암호 표를 보고, 그림에 알맞은 단어를 쓰세요.

●	◆	★
e	c	o

1.

◆ l ★ s ●

_____

2.

◆ ★ m ●

_____

3.

◆ hi ◆ k ● n

_____

E 박씨를 문 제비가 흥부네 집을 찾아가다가 길을 잃었어요. 미로를 빠져나가며 제비가 만난 알파벳을 순서대로 쓰세요.

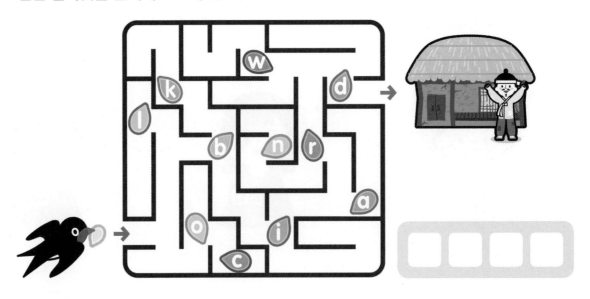

F 개구리가 징검다리를 건너 학교에 가고 있어요. 단서 와 힌트 를 보고, 개구리가 학교에 가져가야 할 준비물을 쓰세요.

단서 ➡는 한 칸 앞으로, ➚는 한 칸 건너뛰기를 나타내요.

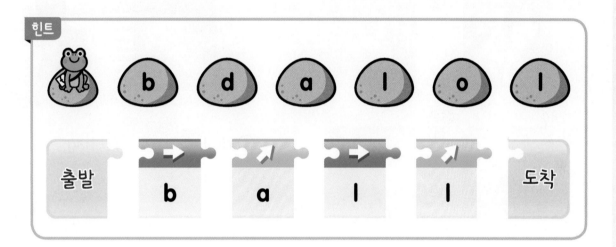

1.
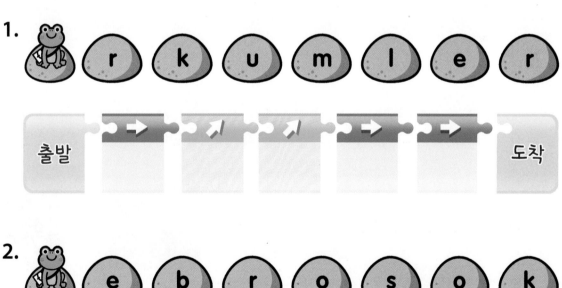

2.
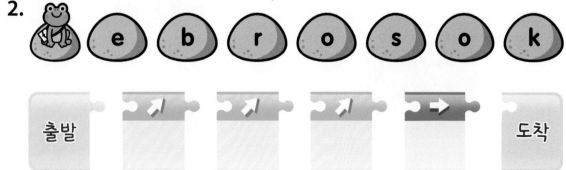

1 단어에 알맞은 그림을 고르세요.

duck

①  ②

③  ④

2 그림에 알맞은 단어를 고르세요.

① chicken ② pizza
③ fish ④ salad

3 그림에 <u>없는</u> 단어를 고르세요.

① doll ② bag
③ cup ④ fan

4 그림과 단어가 일치하지 <u>않는</u> 것을 고르세요.

①  ②

stand open

③  ④

sit come

5 그림에 알맞은 단어를 보기 에서 골라 기호를 쓰세요.

보기 ⓐ eraser ⓑ book ⓒ ruler

(1) 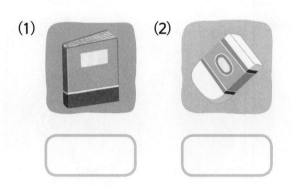 (2)

7 그림에 알맞은 단어를 골라 쓰세요.

(pencil / pen)

8 그림에 알맞은 단어가 되도록 알파벳을 바르게 배열하여 쓰세요.

(1) _____

(p a z i z)

(2) _____

(a b e r d)

6 그림을 보고 문장의 빈칸에 알맞은 단어를 고르세요.

It's a _____.

① fan   ② ball
③ bag   ④ cup

💗 재미있는 이야기로 이번 주에 공부할 내용을 알아보세요.

2주차
공부할 내용

이번 주에는 무엇을 공부할까? ❷

◉ 여러분이 친구에게 소개한 적이 있는 가족에 동그라미 해 보세요.

B

◉ 여러분이 좋아하는 과일에 동그라미 해 보세요.

lemon

apple

pear

banana

kiwi

너는 사과를 좋아하니?

Do You Like Apples?

단어

💙 재미있는 이야기로 오늘 배울 단어를 만나 보세요.

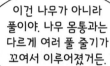

2주

😊 **오늘 배울 단어를 들으며 따라 말해 보세요.**

lemon
레몬

apple
사과

pear
배

banana
바나나

kiwi
키위

🎵 찬트 해 보세요.

단어 쑥쑥

A 잘 듣고, 알맞은 단어에 동그라미 하세요.

단어
듣기

1.

| pear | banana |

2.

| apple | lemon |

3.

| kiwi | pear |

B 그림에 알맞은 단어를 연결하세요.

의미
연결

1.

키위

2.

배

· banana ·

· pear ·

· kiwi ·

· lemon ·

3.

레몬

4.

바나나

▶정답 8쪽

 C 그림에 알맞은 단어를 보기 에서 골라 쓰세요.

단어
쓰기

보기   **kiwi**   **banana**   **pear**   **apple**

1. _____

2. _____

3. _____

4. _____

 D 잘 듣고, 그림에 알맞은 단어를 완성하세요.

단어
완성

1.

 a ☐ p l ☐

2.

☐ i w ☐

3.

 p ☐ a ☐

문장 쑥쑥

A 단어를 읽고, 문장 속에서 따라 쓰세요.

1.  **lemon** 레몬 → **Do you like lemons?**
너는 레몬을 좋아하니?

2.  **pear** 배 → **Do you like pears?**
너는 배를 좋아하니?

'Do you like + 과일 이름?'은 과일을 좋아하는지 묻는 표현이에요.

B 그림에 알맞은 단어를 보기에서 골라 문장을 완성하세요.

1. **Do you like   s?**
너는 사과를 좋아하니?

2. **Do you like   s?**
너는 바나나를 좋아하니?

3. **Do you like   s?**
너는 키위를 좋아하니?

보기 pear banana kiwi apple

2
주

A 잘 듣고, 알맞은 단어에 동그라미 한 후 우리말 뜻을 쓰세요.

1.

banana

pear

2.

lemon

kiwi

3.

apple

pear

뜻 _____

뜻 _____

뜻 _____

B 그림에 알맞은 단어가 되도록 알파벳을 바르게 배열하여 쓰세요.

1.

e p r a

2.

e l o m n

3.

a a b n a n

4.

i i w k

차곡차곡 복습!

◉ 단어를 듣고, 우리말 뜻을 말해 보세요.

도전!

1회 ☐ 2회 ☐ 3회 ☐

똑똑한 하루
2일
VOCA

개가 두 마리야   단어
Two Dogs

💚 **재미있는 이야기로 오늘 배울 단어를 만나 보세요.**

2주

⚙ **오늘 배울 단어를 들으며 따라 말해 보세요.**

one
하나, 1

two
둘, 2

three
셋, 3

four
넷, 4

five
다섯, 5

찬트 해 보세요.

단어 쑥쑥

A 잘 듣고, 알맞은 단어를 골라 기호를 쓰세요.

| ⓐ two | ⓑ four | ⓒ three |

1.

2.

3.

B 그림에 알맞은 단어와 우리말 뜻을 연결하세요.

1.  · · one · · 셋, 3

2.  · · three · · 하나, 1

3.  · · five · · 다섯, 5

C 그림에 알맞은 단어를 찾아 동그라미 한 후 빈칸에 쓰세요.

단어
쓰기

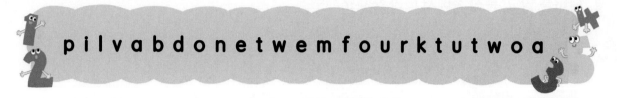

p i l v a b d o n e t w e m f o u r k t u t w o a

1.

2.

3.

 D 그림을 보고, 퍼즐을 완성하세요.

단어
완성

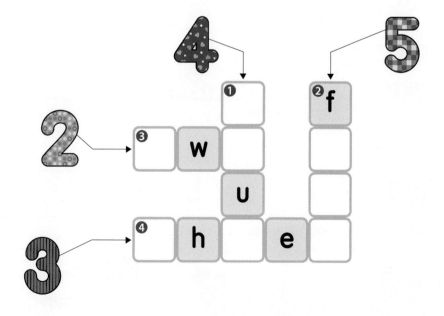

문장 쑥쑥

▶정답 9쪽

A 단어를 읽고, 문장 속에서 따라 쓰세요.

문장 완성

1.

one
하나, 1

→ One **bag.**

가방이 한 개야.

2.

five
다섯, 5

→ Five **cups.**

컵이 다섯 개야.

사물의 개수가 두 개 이상일 때는 사물의 이름 뒤에 -s를 붙여요.

B 그림에 알맞은 단어를 보기 에서 골라 문장을 완성하세요.

문장 쓰기

1.

_____ apples.

사과가 두 개야.

2.

_____ birds.

새가 네 마리야.

3.

_____ books.

책이 세 권이야.

보기 One Three Four Two

실력 쑥쑥

A 잘 듣고, 알맞은 단어에 동그라미 한 후 우리말 뜻을 쓰세요.

1.
three
five

뜻 _____

2.
four
one

뜻 _____

3.
five
two

뜻 _____

2주

B 그림에 알맞은 단어가 되도록 알파벳을 바르게 배열하여 쓰세요.

1.

o f r u

_____

2.

t o w

_____

3.

n o e

_____

4.

e f v i

_____

차곡차곡 복습!

● 단어를 듣고, 우리말 뜻을 말해 보세요.

도전!
1회 ☐ 2회 ☐ 3회 ☐

나는 초 여섯 개를 원해

단어

I Want Six Candles

💙 **재미있는 이야기로 오늘 배울 단어를 만나 보세요.**

이건 내가 **nine**살 때 놀이공원에 간 거야.

이건 너무 재밌어서 **ten**번이나 탔지.

앗, 넘기면 안 돼!

얼레리꼴레리, 진우는 놀이 기구도 못 타대요.

울보래요.

※ **오늘 배울 단어를 들으며 따라 말해 보세요.**

six
여섯, 6

seven
일곱, 7

eight
여덟, 8

nine
아홉, 9

ten
열, 10

● 찬트 해 보세요.

단어 쑥쑥

3

A 잘 듣고, 알맞은 단어에 동그라미 하세요.

1.

| six | ten |

2.

| seven | eight |

3.

| seven | nine |

B 그림에 알맞은 단어를 연결하세요.

1.
여섯, 6

eight

nine

seven

six

2.
여덟, 8

3.
아홉, 9

4.
일곱, 7

 **C** 그림에 알맞은 단어를 보기 에서 골라 쓰세요.

보기   six   nine   ten   eight

1.

2.

3.

4.

 D 잘 듣고, 그림에 알맞은 단어를 완성하세요.

1.

e [ ] g [ ] t

2.

[ ] ev [ ] n

3.

t [ ] n

문장 쑥쑥

▶정답 10쪽

A 단어를 읽고, 어구를 따라 쓰세요.

어구
쓰기

1.

eight
여덟, 8

→ eight candles

초 여덟 개

2.

six
여섯, 6

→ six candles

초 여섯 개

'I want + 숫자 + 사물 이름.'은
원하는 사물의 개수를
나타내는 표현이에요.

B 그림에 알맞은 단어를 보기 에서 골라 문장을 완성하세요.

문장
쓰기

1.

I want ____ candles.

나는 초 아홉 개를 원해.

2.

I want ____ candles.

나는 초 일곱 개를 원해.

3.

I want ____ candles.

나는 초 열 개를 원해.

보기   nine   eight
        seven   ten

실력 쑥쑥

▶정답 10쪽

A 잘 듣고, 알맞은 단어에 동그라미 한 후 우리말 뜻을 쓰세요.

1.
ten
six

뜻 _____

2.
seven
nine

뜻 _____

3.
ten
eight

뜻 _____

2
주

B 그림에 알맞은 단어가 되도록 알파벳을 바르게 배열하여 쓰세요.

1.
s v e n e

2.
n e t

3.
i x s

4.
i g e t h

차곡차곡 복습!

● 단어를 듣고, 우리말 뜻을 말해 보세요.

도전!
1회 ☐ 2회 ☐ 3회 ☐

그녀는 우리 언니야

단어

She's My Sister

💜 재미있는 이야기로 오늘 배울 단어를 만나 보세요.

2 주

⚙ 오늘 배울 단어를 들으며 따라 말해 보세요.

dad
아빠

mom
엄마

grandmother
할머니

sister
여자 형제

brother
남자 형제

● 찬트 해 보세요.

단어 쑥쑥

A 잘 듣고, 알맞은 단어를 골라 기호를 쓰세요.

ⓐ sister　　ⓑ dad　　ⓒ mom

1.　　나　　2.　　3.

B 그림에 알맞은 단어와 우리말 뜻을 연결하세요.

1.  ・　・ grandmother ・　・ 엄마

2.  ・　・ brother ・　・ 할머니

3.  ・　・ mom ・　・ 남자 형제

▶정답 11쪽

C 그림에 알맞은 단어를 찾아 동그라미 한 후 빈칸에 쓰세요.

단어
쓰기

m g r a n d m o t h e r c b r o t h e r u d a d

1.

2.

3.

D 그림을 보고, 퍼즐을 완성하세요.

단어
완성

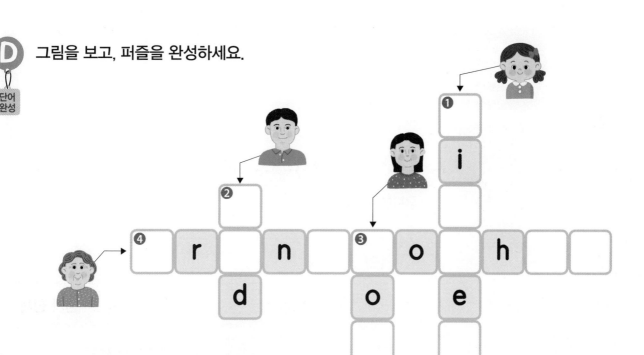

문장 쑥쑥

A 단어를 읽고, 어구를 따라 쓰세요.

어구 쓰기

1.

brother
남자 형제

→ my brother
우리 형

2.

mom
엄마

→ my mom
우리 엄마

'He's / She's my + 가족 관계를
나타내는 말.'은 가족을
소개하는 표현이에요.

B 그림에 알맞은 단어를 보기 에서 골라 문장을 완성하세요.

문장 쓰기

1.

He's my
그는 우리 아빠셔.

2.

She's my
그녀는 내 여동생이야.

3.

She's my
그녀는 우리 할머니셔.

보기 brother sister
dad   grandmother

A 잘 듣고, 알맞은 단어에 동그라미 한 후 우리말 뜻을 쓰세요.

2
주

1.

| brother |
| mom |

뜻 _____

2.

| dad |
| sister |

뜻 _____

3.

| mom |
| grandmother |

뜻 _____

B 그림에 알맞은 단어가 되도록 알파벳을 바르게 배열하여 쓰세요.

1.

m m o

2.

b e r h o t r

3.

a d d

4.

s i r t e s

차곡차곡 복습!

● 단어를 듣고, 우리말 뜻을 말해 보세요.

도전!
1회 □ 2회 □ 3회 □

나는 다이빙할 수 있어   단어

I Can Dive

💜 **재미있는 이야기로 오늘 배울 단어를 만나 보세요.**

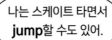

2 주

🌼 오늘 배울 단어를 들으며 따라 말해 보세요.

jump
점프하다

swim
수영하다

dive
다이빙하다

skate
스케이트를 타다

ski
스키를 타다

● 찬트 해 보세요.

단어 쑥쑥

 A 잘 듣고, 알맞은 단어에 동그라미 하세요.

단어 듣기

1.

| swim | dive |

2.

| ski | jump |

3.

| skate | dive |

 B 그림에 알맞은 단어를 연결하세요.

의미 연결

1.

다이빙하다

2.

점프하다

ski

jump

skate

dive

3.

스키를 타다

4.

스케이트를 타다

C 그림에 알맞은 단어를 보기 에서 골라 쓰세요.

단어
쓰기

보기   ski   jump   skate   swim

1.

2.

3.

4.

 D 잘 듣고, 그림에 알맞은 단어를 완성하세요.

단어
완성

1.

s ☐ i ☐

2.

☐ ka ☐ e

3.

☐ u ☐ p

문장 쑥쑥

▶정답 12쪽

 A 단어를 읽고, 어구를 따라 쓰세요.

어구
쓰기

1.

jump
점프하다

→ can jump

점프할 수 있다

2.

skate
스케이트를 타다

→ can skate

스케이트를 탈 수 있다

'I can + 동작을 나타내는 말.'은
자신이 할 수 있는 것을
나타내는 표현이에요.

문장
쓰기

B 그림에 알맞은 단어를 보기 에서 골라 문장을 완성하세요.

1.

I can ____ .

나는 다이빙할 수 있어.

2.

I can ____ .

나는 스키를 탈 수 있어.

3.

I can ____ .

나는 수영할 수 있어.

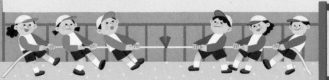

보기	swim	skate
	ski	dive

복습

실력 쑥쑥

I Can Dive

▶정답 12쪽

A 잘 듣고, 알맞은 단어에 동그라미 한 후 우리말 뜻을 쓰세요.

5

2
주

1.

dive
swim

뜻 _____

2.

skate
jump

뜻 _____

3.

ski
swim

뜻 _____

B 그림에 알맞은 단어가 되도록 알파벳을 바르게 배열하여 쓰세요.

1.
k a s t e

2.
s i k

3.
i s m w

4.
d e v i

차곡차곡 복습!

● 단어를 듣고, 우리말 뜻을 말해 보세요.

6

도전!

1회 ☐ 2회 ☐ 3회 ☐

🧩 배운 내용을 떠올리며 말판 놀이를 해 보세요.

START

1. 그림과 단어가 일치하면 ○ 표, 일치하지 않으면 × 표 하세요.

dad ☐

2. 그림을 보고 알파벳을 바르게 배열하여 단어를 쓰세요.

lonme → _____

9. 단어를 읽고 알맞은 우리말 뜻에 ✓ 표 하세요.

four

넷, 4 ☐

셋, 3 ☐

8. 그림을 보고 알맞은 단어어 동그라미 하세요.

swim

skate

10. 단어를 읽고 알맞은 그림에 동그라미 하세요.

nine

7 9

11. 그림에 알맞은 단어를 완성하세요.

k__w__

12. 단어를 읽고 알맞은 우리말과 연결하세요.

ski ·

two ·

· 둘,

· 스키 타다

그림과 단어가 일치하면 ○ 표, 일치하지 않으면 × 표 하세요.

three

4. 그림에 알맞은 단어를 완성하세요.

__ana__a

5. 단어를 읽고 알맞은 우리말 뜻에 ✓ 표 하세요.

grandmother

엄마

할머니

단어를 읽고 알맞은 그림에 동그라미 하세요.

apple

6. 단어를 읽고 알맞은 우리말 뜻과 연결하세요.

one · · 여섯, 6

six · · 하나, 1

3. 그림을 보고 알파벳을 바르게 배열하여 단어를 쓰세요.

sirset

→ _____

14. 그림을 보고 알맞은 단어에 동그라미 하세요.

dive

jump

FINISH

A 현아가 과일 꼬치를 주문하고 있어요. 현아가 주문한 과일 꼬치를 찾아 동그라미 하세요.

> 제일 먼저 kiwi를 먹고 싶어요.
> kiwi를 다 먹고 나면 lemon,
> 그 다음으로는 apple을 먹도록 꽂아 주세요.

B 포키가 암호가 나타내는 물건을 가지고 가야 타임 머신을 탈 수 있어요. 단서 를 보고
암호를 푸세요.

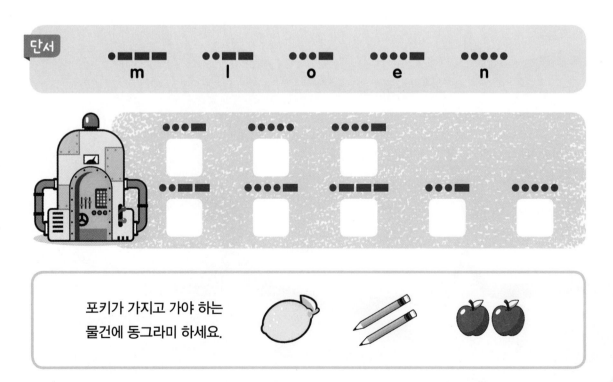

단서

m　**l**　**o**　**e**　**n**

포키가 가지고 가야 하는
물건에 동그라미 하세요.

C 화살표 방향대로 칸을 따라가면 워미가 잊어버린 자물쇠의 비밀번호를 찾을 수 있어요. 힌트를 참고하여 자물쇠의 비밀번호를 찾아 쓰세요.

힌트

출발	p	y
g	e	l
a	r	k

➡️ ⬇️ ↖️ ➡️

🔒 **pear**

1.

출발	e	p
s	t	u
o	k	a

⬇️ ↘️ ➡️ ↗️ ⬆️

🔒

2.

출발	s	d
e	r	i
t	s	m

➡️ ↘️ ↗️ ⬅️ ⬆️ ➡️

🔒

D 힌트를 참고하여 주어진 음계대로 피아노를 연주했을 때 나타날 단어를 쓰세요.

도	레	미	파	솔	라	시
s	n	f	v	i	p	e

힌트

미	솔	파	시
f	i	v	e

도	시	파	시	레

E 원숭이가 사다리를 타고 내려가 그림과 단어를 연결해야 해요. 바르게 연결할 수 있도록 사다리에 가로선을 그어 보세요.

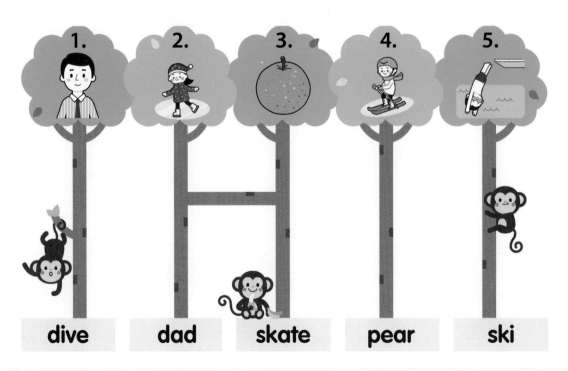

1.	2.	3.	4.	5.
dive	**dad**	**skate**	**pear**	**ski**

F 친구들의 생일 케이크가 섞여 버렸어요. 단서 를 읽고 친구들의 나이를 보기 에서 골라 쓴 후, 케이크를 찾아 연결하세요.

단서
1. Jane, Kevin, Amy의 나이는 서로 달라요.
2. Amy의 나이를 나타내는 단어는 5글자예요.
3. Jane은 Kevin보다 나이가 두 배 많아요.
4. Amy는 Kevin보다 두 살 어려요.

보기

three   ten   five

1.

Jane

나이: _____

2.

Kevin

나이: _____

3.

Amy

나이: _____

1 단어에 알맞은 그림을 고르세요.

dad

①

②

③

④

2 그림에 알맞은 단어를 고르세요.

① seven　　② six

③ ten　　④ eight

3 그림에 <u>없는</u> 단어를 고르세요.

① jump　　② swim

③ skate　　④ dive

4 그림과 단어가 일치하지 <u>않는</u> 것을 고르세요.

①
kiwi

②
banana

③
lemon

④
pear

5 그림에 알맞은 단어를 보기 에서 골라 기호를 쓰세요.

보기 ⓐ four ⓑ five ⓒ one

(1)

(2)

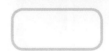

6 그림을 보고 문장의 빈칸에 알맞은 단어를 고르세요.

He's my _____.

① dad   ② grandmother

③ brother   ④ mom

7 그림에 알맞은 단어를 골라 쓰세요.

_____

(swim / ski)

8 그림에 알맞은 단어가 되도록 알파벳을 바르게 배열하여 쓰세요.

(1) _____

(n e i n)

(2) _____

(x s i)

3주 이번 주에는 무엇을 공부할까? 1

🌱 재미있는 이야기로 이번 주에 공부할 내용을 알아보세요.

◉ 여러분이 할 수 있는 동작에 동그라미 해 보세요.

dance

walk

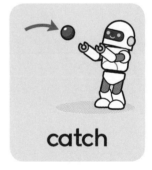

catch

fly

sing

 B

3
주

◉ 오늘의 날씨를 골라 동그라미 해 보세요.

sunny

windy

snowing

cloudy

raining

그것은 작아

It's Small

단어

♥ 재미있는 이야기로 오늘 배울 단어를 만나 보세요.

3주

🌼 **오늘 배울 단어를 들으며 따라 말해 보세요.**

small
(크기가) 작은

big
(크기가) 큰

long
(길이가) 긴

short
(길이가) 짧은

fat
뚱뚱한

● 찬트 해 보세요.

단어 쑥쑥

A 잘 듣고, 알맞은 단어를 골라 기호를 쓰세요.

a big　　b long　　c short

1.

2.

3.

B 그림에 알맞은 단어를 연결하세요.

1.
(크기가) 작은

2.
(길이가) 긴

small

fat

short

long

3.
뚱뚱한

4.
(길이가) 짧은

▶정답 15쪽

 C 그림에 알맞은 단어를 보기 에서 골라 쓰세요.

단어
쓰기

보기   **big**   **small**   **fat**   **long**

1.

2.

3.

4.

3
주

 D 잘 듣고, 그림에 알맞은 단어를 완성하세요.

단어
완성

4

1.

b ☐ g

2.

l ☐ n ☐

3.

☐ ho ☐ ☐

문장 쑥쑥

▶정답 15쪽

A 단어를 읽고, 문장 속에서 쓰세요.

문장
완성

1.

small
작은

→ **It's** small.

그것은 작아.

2.

fat
뚱뚱한

→ **It's** fat.

그것은 뚱뚱해.

B 그림에 알맞은 단어를 보기 에서 골라 문장을 완성하세요.

문장
쓰기

'그것은 ~해.'라고 말할
때는 'It's ~.'로 해요.

1.

It's _____.

그것은 커.

2.

It's _____.

그것은 길어.

3.

It's _____.

그것은 짧아.

보기 short big
long small

실력 쑥쑥

 A 잘 듣고, 알맞은 단어에 동그라미 한 후 우리말 뜻을 쓰세요.

1.

big
fat

뜻 _____

2.

small
long

뜻 _____

3.

long
short

뜻 _____

B 그림에 알맞은 단어가 되도록 알파벳을 바르게 배열하여 쓰세요.

1.

a l m s l

2.

o r h t s

3.

i b g

4.

g n o l

차곡차곡 복습!

● 단어를 듣고, 우리말 뜻을 말해 보세요.

도전!		
1회 ☐	2회 ☐	3회 ☐

이것은 빨간 공이야

This Is a Red Ball

단어

♥ 재미있는 이야기로 오늘 배울 단어를 만나 보세요.

3
주

😊 오늘 배울 단어를 들으며 따라 말해 보세요.

black
검은

green
초록의

red
빨간

yellow
노란

blue
파란

🎵 찬트 해 보세요.

단어 쑥쑥

A 잘 듣고, 알맞은 단어에 동그라미 하세요.

1.

black	blue

2.

red	yellow

3.

green	black

B 그림에 알맞은 단어와 우리말 뜻을 연결하세요.

1.

· · blue · · 검은

2.

· · black · · 파란

3.

· · green · · 초록의

C 그림에 알맞은 단어를 찾아 동그라미 한 후 빈칸에 쓰세요.

단어
쓰기

c g y e l l o w x k q w r n b l u e a r e d o r

1.

2.

3.

 D 그림을 보고, 퍼즐을 완성하세요.

단어
완성

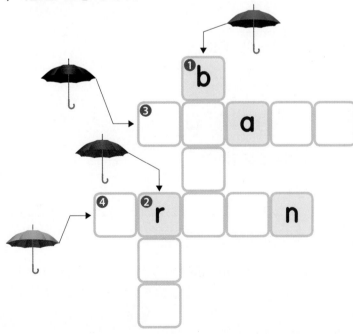

문장 쑥쑥

▶정답 16쪽

A 단어를 읽고, 어구를 따라 쓰세요.

1.

red
빨간

→ a red ball

빨간 공

2.

blue
파란

→ a blue bag

파란 가방

'This is a(n) + 색깔을 나타내는 말 + 사물 이름.'은 가리키는 사물의 색을 나타내는 표현이에요.

B 그림에 알맞은 단어를 보기 에서 골라 문장을 완성하세요.

1.

This is a   pen.

이것은 노란 펜이야.

2.

This is a   cup.

이것은 초록 컵이야.

3.

This is a   cat.

이것은 검은 고양이야.

보기	black	yellow
	green	blue

실력 쑥쑥

A 잘 듣고, 알맞은 단어에 동그라미 한 후 우리말 뜻을 쓰세요.

1.
red
black

뜻 _____

2.
blue
yellow

뜻 _____

3.
black
green

뜻 _____

B 그림에 알맞은 단어가 되도록 알파벳을 바르게 배열하여 쓰세요.

1.

e o l y l w

2.

c k b a l

3.

e d r

4.

r n e g e

차곡차곡 복습!

● 단어를 듣고, 우리말 뜻을 말해 보세요.

도전!

1회 ☐   2회 ☐   3회 ☐

나는 코가 있어

I Have a Nose

단어

💜 **재미있는 이야기로 오늘 배울 단어를 만나 보세요.**

3
주

☸ 오늘 배울 단어를 들으며 따라 말해 보세요.

nose
코

eye
눈

mouth
입

ear
귀

face
얼굴

● 찬트 해 보세요.

 3일 VOCA

단어 쑥쑥

A 잘 듣고, 알맞은 단어를 골라 기호를 쓰세요.

단어 듣기

ⓐ **nose**   ⓑ **face**   ⓒ **ear**

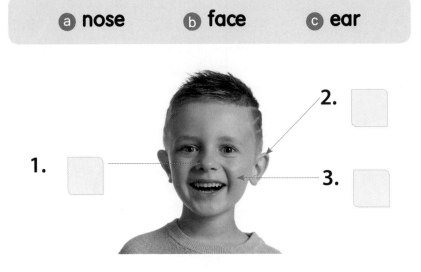

1.   2.   3.

B 그림에 알맞은 단어를 연결하세요.

의미 연결

1.
얼굴

2.
입

nose

face

eye

mouth

3.
눈

4.
코

C 그림에 알맞은 단어를 보기 에서 골라 쓰세요.

단어
쓰기

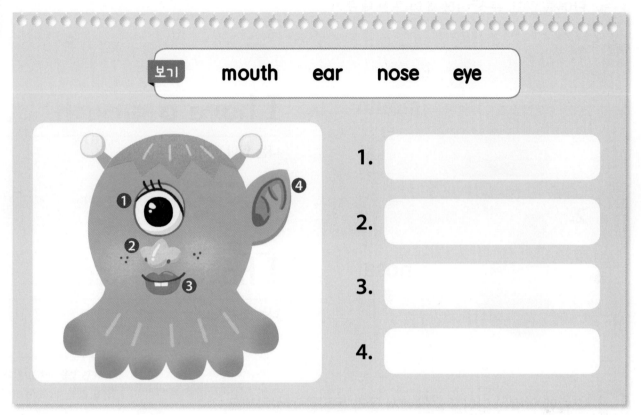

보기 mouth ear nose eye

1.

2.

3.

4.

 D 잘 듣고, 그림에 알맞은 단어를 완성하세요.

단어
완성

1.

n se

2.

e ☐ ☐

3.

☐ a c

문장 쑥쑥

▶정답 17쪽

A 단어를 읽고, 문장 속에서 따라 쓰세요.

문장완성

1.

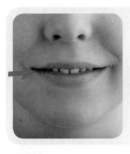

mouth
입

→ **I have a** mouth.

나는 입이 있어.

2.

nose
코

→ **I have a** nose.

나는 코가 있어.

어떤 것을 가지고 있다고 말할 때는 'I have a(n) ~.' 로 해요.

B 그림에 알맞은 단어를 보기 에서 골라 문장을 완성하세요.

문장쓰기

1.

I have a _____ .

나는 입이 있어.

2.

I have an _____ .

나는 눈이 있어.

3.

I have an _____ .

나는 귀가 있어.

보기	eye	ear
	mouth	face

실력 쑥쑥

A 잘 듣고, 알맞은 단어에 동그라미 한 후 우리말 뜻을 쓰세요.

1.

mouth
ear

뜻 _____

2.

nose
eye

뜻 _____

3.

face
ear

뜻 _____

B 그림에 알맞은 단어가 되도록 알파벳을 바르게 배열하여 쓰세요.

1.

o s e n

2.

u h t o m

3.

e a f c

4.
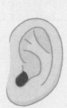

a r e

차곡차곡 복습!

◉ 단어를 듣고, 우리말 뜻을 말해 보세요.

도전!
1회	2회	3회

똑똑한 하루

4일
VOCA

오늘은 날이 화창해

단어

It's Sunny Today

💜 재미있는 이야기로 오늘 배울 단어를 만나 보세요.

3주

❄ 오늘 배울 단어를 들으며 따라 말해 보세요.

sunny
화창한

snowing
눈이 오는

raining
비가 오는

windy
바람이 부는

cloudy
흐린

● 찬트 해 보세요.

단어 쑥쑥

A 잘 듣고, 알맞은 단어에 동그라미 하세요.

1.

cloudy sunny

2.

windy cloudy

3.

raining snowing

B 그림에 알맞은 단어와 우리말 뜻을 연결하세요.

1.

raining · · 바람이 부는

2.

windy · · 눈이 오는

3.

snowing · · 비가 오는

▶ 정답 18쪽

C 그림에 알맞은 단어를 찾아 동그라미 한 후 빈칸에 쓰세요.

단어
쓰기

e c s u n n y j l w i n d y q r c l o u d y k z q

1.

2.

3.

3
주

D 그림을 보고, 퍼즐을 완성하세요.

단어
완성

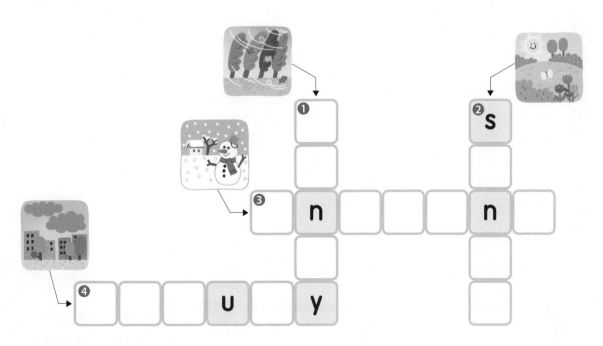

문장 쑥쑥

▶정답 18쪽

A 단어를 읽고, 문장 속에서 따라 쓰세요.

문장
완성

1.

sunny
화창한

→ **It's** sunny **today.**

오늘은 화창해.

2.

raining
비가 오는

→ **It's** raining **today.**

오늘은 비가 와.

B 그림에 알맞은 단어를 보기 에서 골라 문장을 완성하세요.

날씨를 말할 때는
'It's + 날씨를 나타내는 말.'
로 해요.

문장
쓰기

1.

It's _____ today.

오늘은 바람이 불어.

2.

It's _____ today.

오늘은 눈이 와.

3.

It's _____ today.

오늘은 흐려.

보기 **cloudy** **windy**
snowing **raining**

실력 쑥쑥

A 잘 듣고, 알맞은 단어에 동그라미 한 후 우리말 뜻을 쓰세요.

1.
sunny

raining

뜻 _____

2.
windy

cloudy

뜻 _____

3.
sunny

snowing

뜻 _____

B 그림에 알맞은 단어가 되도록 알파벳을 바르게 배열하여 쓰세요.

1.
n i w y d

2.
n o n s w g i

3.
u n y n s

4.
l y c u o d

차곡차곡 복습!

◉ 단어를 듣고, 우리말 뜻을 말해 보세요.

도전!
1회 ☐ 2회 ☐ 3회 ☐

너 춤출 수 있니?

단어

Can You Dance?

💜 **재미있는 이야기로 오늘 배울 단어를 만나 보세요.**

3
주

오늘 배울 단어를 들으며 따라 말해 보세요.

dance
춤추다

walk
걷다

fly
날다

catch
잡다

sing
노래하다

찬트 해 보세요.

단어 쑥쑥

A 잘 듣고, 알맞은 단어를 골라 기호를 쓰세요.

ⓐ **catch**　　ⓑ **walk**　　ⓒ **dance**

1.

2.

3.

B 그림에 알맞은 단어를 연결하세요.

1.
노래하다

2.
걷다

dance

sing

fly

walk

3.
날다

4.
춤추다

C 그림에 알맞은 단어를 보기 에서 골라 쓰세요.

단어
쓰기

보기 dance walk sing catch

1. _____

2. _____

3. _____

4. _____

3
주

D 잘 듣고, 그림에 알맞은 단어를 완성하세요.

4

단어
완성

1.

s ☐ ☐ g

2.

d ☐ n ☐ e

3.

c ☐ tc ☐

문장 쑥쑥

▶정답 19쪽

A 단어를 읽고, 문장 속에서 따라 쓰세요.

문장
완성

1.

sing
노래하다 → **Can you sing?**

너 노래할 수 있니?

2.

dance
춤추다 → **Can you dance?**

너 춤출 수 있니?

B 그림에 알맞은 단어를 보기 에서 골라 문장을 완성하세요.

문장
쓰기

어떤 일을 할 수 있는지
묻는 말은 'Can you + 동작을
나타내는 말?'로 해요.

1.

Can you _____ **?**

너 걸을 수 있니?

2.

Can you _____ **?**

너 날 수 있니?

3.

Can you _____ **?**

너 춤출 수 있니?

보기 **walk   dance
sing   fly**

실력 쑥쑥

▶정답 19쪽

A 잘 듣고, 알맞은 단어에 동그라미 한 후 우리말 뜻을 쓰세요.

1.

sing

walk

뜻 _____

2.

dance

catch

뜻 _____

3.

walk

fly

뜻 _____

3
주

B 그림에 알맞은 단어가 되도록 알파벳을 바르게 배열하여 쓰세요.

1.

c n a e d

_____

2.

t a c h c

_____

3.

g i n s

_____

4.

l y f

_____

차곡차곡 복습!

6

◉ 단어를 듣고, 우리말 뜻을 말해 보세요.

도전!

1회 ☐ 2회 ☐ 3회 ☐

배운 내용을 떠올리며 말판 놀이를 해 보세요.

START

1. 그림을 보고 알맞은 단어에 동그라미 하세요.

eye
nose

2. 그림과 단어가 일치하면 ○ 표, 일치하지 않으면 × 표 하세요.

big

3. 단어를 읽고 알맞은 그림에 동그라미 하세요.

yellow

6. 단어를 읽고 알맞은 우리 뜻에 ✓ 표 하세요.

black

초록의   검은

5. 단어를 읽고 알맞은 우리말 뜻과 연결하세요.

ear ·   · 귀
mouth ·   · 입

4. 그림을 보고 알맞은 단어에 동그라미 하세요.

fat
long

그림에 알맞은 단어를 완성하세요.

__at__h

8. 그림을 보고 알맞은 단어에 동그라미 하세요.

sunny

cloudy

9. 그림과 단어가 일치하면 ○ 표, 일치하지 않으면 × 표 하세요.

dance

11. 그림을 보고 알맞은 단어에 동그라미 하세요.

raining

windy

10. 그림을 보고 알파벳을 바르게 배열하여 단어를 쓰세요.

afec

→ _____

12. 그림에 알맞은 단어를 완성하세요.

s__o__t

13. 단어를 읽고 알맞은 우리말 뜻에 ✓ 표 하세요.

cloudy

화창한

흐린

14. 단어를 읽고 알맞은 그림에 동그라미 하세요.

fly

FINISH

A AI 로봇 강아지가 말하는 글자를 순서대로 빙고판에 표시하여 한 줄 빙고를 만든 후, 단어를 바르게 배열하여 쓰세요.

m	p	e	z	q
s	o	c	l	y
a	r	u	f	j
n	b	x	t	g
i	w	k	d	h

h → m → a → o → u → k → t → j

B 우정이가 친구의 스마트폰을 빌려 쓰려고 하는데 전화기가 잠겨 있어요. 힌트를 참고하여 잠긴 화면을 풀 수 있는 단어를 쓰세요.

힌트

2 8 1 3 7

b l a c k

1. 6 1 3 4

2. 5 0 4 4 9

C 그림 카드가 어떤 규칙에 따라 놓여 있어요. 규칙을 찾아 카드의 빈칸에 그림을 그리고 알맞은 단어를 쓰세요.

1.

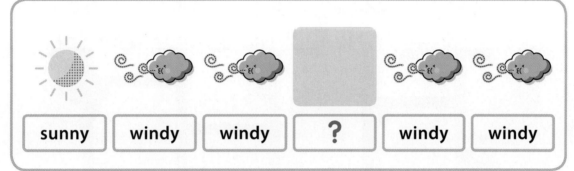

| sunny | windy | windy | ? | windy | windy |

2.

| sing | sing | ? | sing | sing | nose |

3.

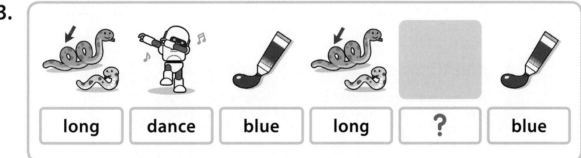

| long | dance | blue | long | ? | blue |

1. _____   2. _____   3. _____

D 다람쥐가 사다리를 타고 내려가 단어와 그림을 연결해야 해요. 바르게 연결할 수 있도록 사다리에 가로선을 그어 보세요.

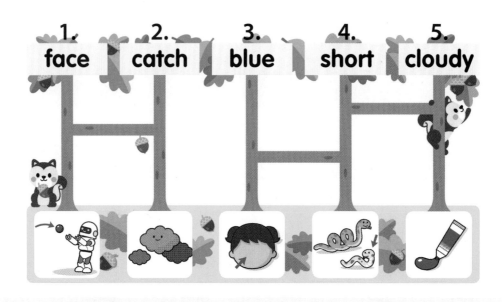

1.	2.	3.	4.	5.
face	catch	blue	short	cloudy

E 포키가 보물지도로 보물을 찾으려고 해요. 단서를 보고 그림의 철자대로 길을 따라가며 보물을 찾으세요.

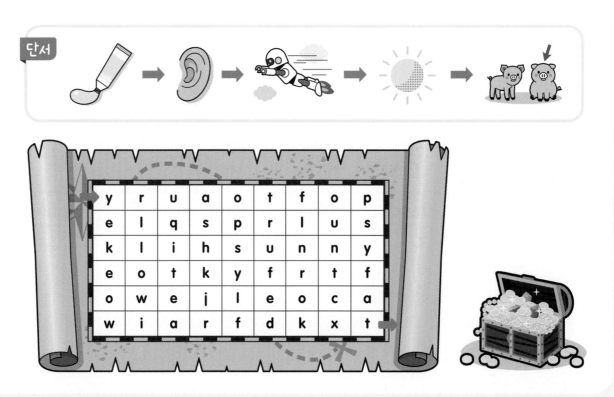

F 구슬 뽑기 기계에 구슬을 넣으면 어떤 규칙에 의해 다른 구슬로 바뀌어 나와요. 힌트 를
   보고 규칙을 찾아 단어와 단어의 뜻을 쓰세요.

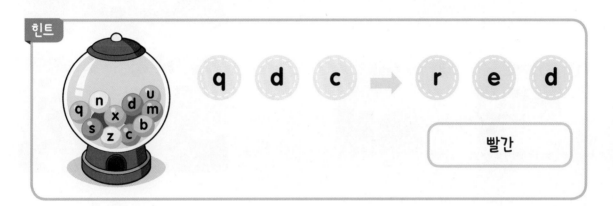

힌트

q d c ➡ r e d

빨간

1.

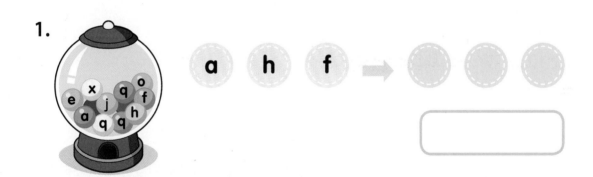

a h f ➡ ○ ○ ○

2.

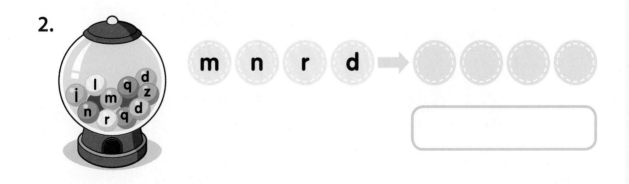

m n r d ➡ ○ ○ ○ ○

1 단어에 알맞은 그림을 고르세요.

snowing

①  ②

③  ④

2 그림에 알맞은 단어를 고르세요.

① fat ② long

③ small ④ short

3 그림에 없는 단어를 고르세요.

① dance ② fly

③ catch ④ sing

4 그림과 단어가 일치하지 않는 것을 고르세요.

①  ②

face mouth

③  ④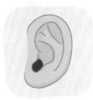

nose eye

5 그림에 알맞은 단어를 보기 에서 골라 기호를 쓰세요.

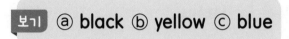

보기 ⓐ black ⓑ yellow ⓒ blue

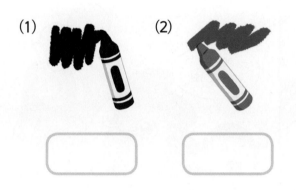

(1) ⬜ (2) ⬜

7 그림에 알맞은 단어를 골라 쓰세요.

(windy / cloudy)

6 그림을 보고 문장의 빈칸에 알맞은 단어를 고르세요.

Can you _____?

① walk ② sing

③ dance ④ fly

8 그림에 알맞은 단어가 되도록 알파벳을 바르게 배열하여 쓰세요.

(1) _____

(l a m s l)

(2) _____

(o l g n)

이번 주에는 무엇을 공부할까? ❶

🖤 재미있는 이야기로 이번 주에 공부할 내용을 알아보세요.

킥킥, 엄청 편하겠다.

사삭~ 사삭~ 헤헤헤

펑

포키야, 엉뚱한 상상 좀 그만해!

쓱쓱~

이번 주에는 물건이 무엇인지 묻고 답하는 표현과 확인하기, 좋아하는 것, 물건의 개수, 그리고 할 수 있는 것을 묻고 답하는 표현을 공부해 보자.

4주

4주차 공부할 내용

1일 **Is It a Dog?**

2일 **Do You Like Bread?**

3일 **What's This?**

4일 **How Many Pigs?**

5일 **Can You Sing?**

A

◉ 질문에 알맞은 대답을 한 친구를 골라 ✔ 표 해 보세요.

Is it a cup?

답 ▶ 표 ∧ 보이어 남자아이에게

◉ 그림을 보고, 질문에 대한 답을 숫자로 써 보세요.

How many pigs?

_____ 마리

답 3

그것은 개니?

쓰기

Is It a Dog?

💜 재미있는 이야기로 오늘 배울 표현을 만나 보세요.

4
주

☸ 오늘 배울 표현을 들으며 따라 말해 보세요.

Is it a dog?
그것은 개니?

Yes, it is.
응, 그래.

No, it isn't.
아니, 그렇지 않아.

dog
개

cat
고양이

ruler
자

pen
펜

ball
공

cup
컵

문장 쓰며 실력 쑥쑥

A 그림에 알맞은 단어에 동그라미 한 후 쓰세요.

1.

dog   cat

2.

ball   cup

3.

pen   ruler

B 단어를 따라 쓴 후 알맞은 그림과 연결하세요.

1. cat
고양이

2. pen
펜

3. cup
컵

그림에 알맞은 단어에 ✔ 표 한 후 문장을 완성하세요.

1.

cup

ball

Is it a _____ **?**

그것은 컵이니?

2.

ruler

pen

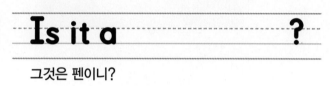

Is it a _____ **?**

그것은 펜이니?

4
주

 그림에 알맞은 단어를 보기 에서 골라 문장을 완성하세요.

보기   dog   cat   ball   cup

1.

Is it a _____ ?

그것은 컵이니?

2.

Is it a _____ ?

그것은 개니?

3.

Is it a _____ ?

그것은 고양이니?

대화 완성하며 실력 쑥쑥

A 그림을 보고, 질문에 알맞은 대답에 ✓ 표 하세요.

1.

Is it a dog?

☐ Yes, it is.

☐ No, it isn't.

2.

Is it a pen?

☐ Yes, it is.

☐ No, it isn't.

Is it a(n) ~?라고 물을 때 맞으면 Yes, it is., 아니면 No, it isn't.라고 대답해요.

B 대화를 읽고, 질문을 따라 쓰세요.

1.

A: Is it a ball?

그것은 공이니?

B: **No, it isn't.**

아니, 그렇지 않아.

2.

A: Is it a pen?

그것은 펜이니?

B: **Yes, it is.**

응, 그래.

C 그림에 알맞은 단어를 써서 대화를 완성하세요.

1.

   A: Is it a _____?

   B: **Yes, it is.**

2.

   A: Is it a _____?

   B: **No, it isn't.**

3.

   A: Is it a _____?

   B: **Yes, it is.**

창의 서술형

D 친구의 물건 중 확인하고 싶은 물건을 그린 후, 알맞은 질문을 쓰세요.

A: _____

B: **Yes, it is.**

너는 빵을 좋아하니?

쓰기

Do You Like Bread?

💙 **재미있는 이야기로 오늘 배울 표현을 만나 보세요.**

4주

⚙ 오늘 배울 표현을 들으며 따라 말해 보세요.

Do you like chicken?
너는 닭고기를 좋아하니?

Yes, I do.
응, 그래.

No, I don't.
아니, 그렇지 않아.

chicken
닭고기

bread
빵

salad
샐러드

fish
생선

apples
사과 여러 개

bananas
바나나 여러 개

문장 쓰며 실력 쑥쑥

A 그림에 알맞은 단어에 동그라미 한 후 쓰세요.

1.

bread · **salad**

2.

banana · **apple**

3.

chicken · **fish**

B 단어를 따라 쓴 후 알맞은 그림과 연결하세요.

1. chicken
닭고기

2. banana
바나나

3. salad
샐러드

▶ 정답 23쪽

 그림에 알맞은 단어에 ✔ 표 한 후 문장을 완성하세요.

1.

apple

fish

Do you like   s?

너는 사과를 좋아하니?

2.

bread

chicken

Do you like   ?

너는 닭고기를 좋아하니?

4주

 그림에 알맞은 단어를 보기 에서 골라 문장을 완성하세요.

보기   **banana**   **fish**   **bread**   **apple**

1.

Do you like   ?

너는 생선을 좋아하니?

2.

Do you like   s?

너는 바나나를 좋아하니?

3.

Do you like   ?

너는 빵을 좋아하니?

대화 완성하며 실력 쑥쑥

 그림을 보고, 질문에 알맞은 대답에 ✔ 표 하세요.

1.

Do you like apples?

☐ Yes, I do.

☐ No, I don't.

2.

Do you like salad?

☐ Yes, I do.

☐ No, I don't.

'Do you like + 음식 이름?'으로 물을 때는 맞으면 Yes, I do., 아니면 No, I don't.라고 대답해요.

B 대화를 읽고, 질문을 따라 쓰세요.

1.

A: Do you like chicken?

너는 닭고기를 좋아하니?

B: **Yes, I do.**

응, 그래.

2.

A: Do you like fish?

너는 생선을 좋아하니?

B: **No, I don't.**

아니, 그렇지 않아.

▶ 정답 23쪽

 그림에 알맞은 단어를 써서 대화를 완성하세요.

1.

A: Do you like　　　　　s?

B: Yes, I do.

2.

A: Do you like　　　　　?

B: Yes, I do.

3.

A: Do you like　　　　　?

B: No, I don't.

창의 서술형

D 친구에게 좋아하는지 묻고 싶은 음식을 그린 후, 알맞은 질문을 쓰세요.

A: _____

B: Yes, I do.

이것은 무엇이니?

What's This?

쓰기

💜 **재미있는 이야기로 오늘 배울 표현을 만나 보세요.**

4주

※ 오늘 배울 표현을 들으며 따라 말해 보세요.

What's this?
이것은 무엇이니?

It's a doll.
그것은 인형이야.

doll
인형

fan
부채

bag
가방

pencil
연필

eraser
지우개

book
책

 일 VOCA

문장 쓰며 실력 쑥쑥

A 그림에 알맞은 단어에 동그라미 한 후 쓰세요.

1.

bag　　doll

_____

2.

pencil　　book

_____

3.

fan　　pencil

_____

 물건의 개수가 하나일 때는 a 또는 an을 써요. 모음으로 시작하는 단어는 an을 써요.

B 어구를 따라 쓴 후 알맞은 그림과 연결하세요.

1.  an eraser

지우개 한 개

•

2. a doll

인형 한 개

•

3. a fan

부채 한 개

•

•

•

•

그림에 알맞은 단어에 ✔ 표 한 후 문장을 완성하세요.

1.
pencil

eraser

It's a _____.

그것은 연필이야.

2.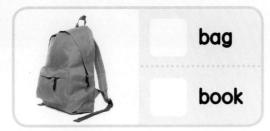
bag

book

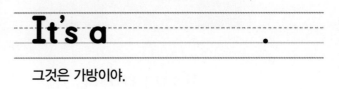
It's a _____.

그것은 가방이야.

4
주

 그림에 알맞은 단어를 보기 에서 골라 문장을 완성하세요.

보기   eraser   doll   book   fan

1.
It's a _____.

그것은 부채야.

2.
It's a _____.

그것은 인형이야.

3.
It's an _____.

그것은 지우개야.

대화 완성하며 실력 쑥쑥

A 그림을 보고, 질문에 알맞은 대답에 ✔ 표 하세요.

1.

What's this?

☐ It's an eraser.

☐ It's a bag.

2.

What's this?

☐ It's a doll.

☐ It's a fan.

> 가리키는 물건이 무엇인지 물을 때는 What's this?로 하고 'It's a(n) +물건 이름.'으로 대답해요.

B 대화를 읽고, 대답을 따라 쓰세요.

1.

A: **What's this?**
이것은 무엇이니?

B: It's a book.

그것은 책이야.

2.

A: **What's this?**
이것은 무엇이니?

B: It's a pencil.

그것은 연필이야.

▶정답 24쪽

C 그림에 알맞은 단어를 써서 대화를 완성하세요.

1.
   A: **What's this?**
   B: It's a   .

2.
   A: **What's this?**
   B: It's a   .

3.
   A: **What's this?**
   B: It's a   .

창의 서술형

D 친구의 물건 중 무엇인지 궁금한 것을 그린 후, 알맞은 대답을 쓰세요.

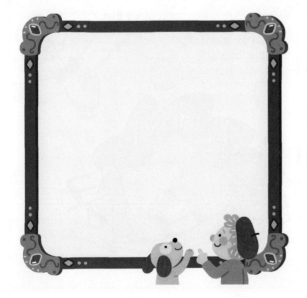

A: **What's this?**

B:

돼지가 몇 마리니?

쓰기

How Many Pigs?

💜 재미있는 이야기로 오늘 배울 표현을 만나 보세요.

4
주

❄ 오늘 배울 표현을 들으며 따라 말해 보세요.

How many kiwis?
키위가 몇 개니?

Two kiwis.
두 개야.

1

kiwi
키위

pear
배

lemon
레몬

duck
오리

pig
돼지

bird
새

문장 쓰며 실력 쑥쑥

A 그림에 알맞은 단어에 동그라미 한 후 쓰세요.

1.

kiwi lemon

2.

pear duck

3.
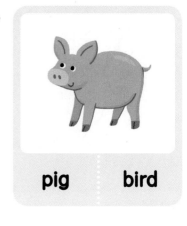
pig bird

B 단어를 따라 쓴 후 알맞은 그림과 연결하세요.

1. pear
배

2. bird
새

3. lemon
레몬

C 그림에 알맞은 단어에 ✔ 표 한 후 문장을 완성하세요.

1.

lemon

pear

How many _____ s?
배가 몇 개니?

2.

duck

pig

How many _____ s?
오리가 몇 마리니?

4
주

D 그림에 알맞은 단어를 보기에서 골라 문장을 완성하세요.

보기 **bird   lemon   pear   kiwi**

1.
How many _____ s?
키위가 몇 개니?

2.
How many _____ s?
새가 몇 마리니?

3.
How many _____ s?
레몬이 몇 개니?

대화 완성하며 실력 쑥쑥

A 그림을 보고, 질문에 알맞은 대답에 ✔ 표 하세요.

1.
How many ducks?
5

☐ Six ducks.

☐ Five ducks.

2.
How many pears?
2

☐ Two pears.

☐ Three pears.

> How many ~?는 개수를 묻는 표현이에요. 대답은 '숫자 + 사물(동물) 이름.'으로 해요.

B 대화를 읽고, 질문을 따라 쓰세요.

1.

? 2

A: How many pigs?

돼지가 몇 마리니?

B: Two pigs.

두 마리야.

2.

? 7

A: How many lemons?

레몬이 몇 개니?

B: Seven lemons.

일곱 개야.

▶ 정답 25쪽

C 그림에 알맞은 단어를 써서 대화를 완성하세요.

1.
A: How many _____ s?
B: Three pears.

2.
A: How many _____ s?
B: Five kiwis.

3.
A: How many _____ s?
B: Four birds.

창의 서술형

D 나의 물건 중 개수가 두 개인 물건을 그린 후, 개수를 묻는 대화를 완성하세요.

A: _____
B: Two _____.

너 노래할 수 있니?

쓰기

Can You Sing?

💜 재미있는 이야기로 오늘 배울 표현을 만나 보세요.

4
주

✺ 오늘 배울 표현을 들으며 따라 말해 보세요.

Can you swim?
너 수영할 수 있니?

Yes, I can.
응, 할 수 있어.

No, I can't.
아니, 못 해.

swim
수영하다

sing
노래하다

skate
스케이트를 타다

dance
춤추다

dive
다이빙하다

fly
날다

문장 쓰며 실력 쑥쑥

A 그림에 알맞은 단어에 동그라미 한 후 쓰세요.

1.

sing	swim

_____
- - - - - - - - - - - - - -
_____

2.

dance	skate

_____
- - - - - - - - - - - - - -
_____

3.

fly	dive

_____
- - - - - - - - - - - - - -
_____

B 단어를 따라 쓴 후 알맞은 그림과 연결하세요.

1. skate

스케이트를 타다

2. sing

노래하다

3. dive

다이빙하다

C 그림에 알맞은 단어에 ✔ 표 한 후, 문장을 완성하세요.

1.

☐ **dance**
☐ **fly**

Can you _____?
너 춤출 수 있니?

2.

☐ **skate**
☐ **swim**

Can you _____?
너 수영할 수 있니?

D 그림에 알맞은 단어를 보기 에서 골라 문장을 완성하세요.

보기   skate   dive   dance   sing

1.

Can you _____?
너 노래할 수 있니?

2.
Can you _____?
너 다이빙할 수 있니?

3.
Can you _____?
너 스케이트 탈 수 있니?

대화 완성하며 실력 쑥쑥

 A 그림을 보고, 질문에 알맞은 대답에 ✔ 표 하세요.

1.

Can you dive?

☐ Yes, I can.

☐ No, I can't.

2.

Can you skate?

☐ Yes, I can.

☐ No, I can't.

> 'Can you + 동작을 나타내는 말?'로 묻는 질문에 할 수 있으면 Yes, I can., 할 수 없으면 No, I can't.로 대답해요.

B 대화를 읽고, 질문을 따라 쓰세요.

1.

A: **Can you sing?**

너 노래할 수 있니?

B: **Yes, I can.**

응, 할 수 있어.

2.

A: **Can you dance?**

너 춤출 수 있니?

B: **No, I can't.**

아니, 못 해.

▶정답 26쪽

C 그림에 알맞은 단어를 써서 대화를 완성하세요.

1.

A: Can you _____ ?

B: Yes, I can.

2.

A: Can you _____ ?

B: No, I can't.

3.

A: Can you _____ ?

B: No, I can't.

창의 서술형

D 친구와 함께하고 싶은 운동을 그린 후, 할 수 있는지 묻는 질문을 쓰세요.

A: _____

B: Yes, I can.

배운 내용을 떠올리며 말판 놀이를 해 보세요.

5. 대화를 읽고 알맞은 그림에 동그라미 하세

A: Can you skate?
B: Yes, I can.

4. 대화를 읽고 과일의 개수를 숫자로 쓰세요.

A: How many kiwis?
B: Five kiwis.

_____ 개

3. 질문을 읽고 그림에 알맞은 대답을 골라 ✓ 표 하세요.

Do you like chicken?

Yes, I do.
No, I don't.

2. 그림을 보고 대화를 완성하세요.

A: How many _____?
B: _____ pears.

1. 질문을 읽고 그림에 알맞은 대답을 골라 ✓ 표 하세요.

What's this?

It's a bag.
It's a fan.

START

화를 읽고 그림이
용과 일치하면 ○ 표, 일치
지 않으면 × 표 하세요.

A: Is it a ruler?
B: Yes, it is.

7. 질문과 대답을 바르게 연결하
세요.

| What's this? | | No, I can't. |
| Can you sing? | | It's a bag. |

8. 대화를 읽고 개수를 묻는 동물이
무엇인지 우리말로 쓰세요.

A: How many ducks?
B: Four ducks.

10. 대화를 읽고 그림이 내용과
일치하면 ○ 표, 일치하지
않으면 × 표 하세요.

A: Can you swim?
B: Yes, I can.

9. 대화를 읽고 알맞은 그림에
동그라미 하세요.

A: What's this?
B: It's an eraser.

A 원시인이 남긴 암호 글자를 발견했어요. 단서 와 힌트 를 참고하여 암호문을 풀고, 질문에 대한 대답은 자신의 상황에 맞게 쓰세요.

힌트

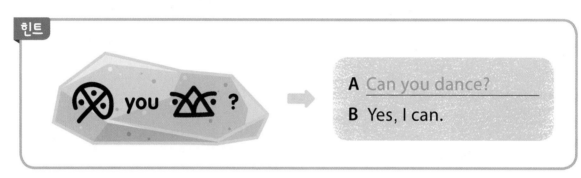

A Can you dance?

B Yes, I can.

1.

A _____

B _____

2.

A _____

B _____

B 화살표 방향대로 표의 칸을 따라가면 문장이 만들어져요. 힌트 를 참고하여 문장을 만들어 대화를 완성하세요.

힌트

출발	Do	is
you	apple	Yes
like	bread	?

→ ↙ ↓ → →

A Do you like bread?
B Yes, I do.

1.

banana	.	you
fish	like	Do
?	salad	출발

↑ ↑ ↙ ↓ ←

A _____
B No, I don't.

2.

don't	.	chicken
출발	like	?
Do	you	No

↓ → ↑ ↗ ↓

A _____
B Yes, I do.

C 문장이 바뀌어 보이는 호수에 물건이 빠졌어요. [힌트]를 참고하여 문장을 바르게 쓴 후 알맞은 대답에 ✔ 표 하세요.

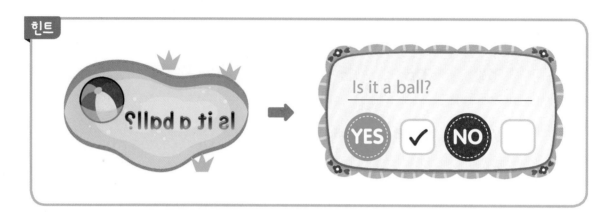

1.

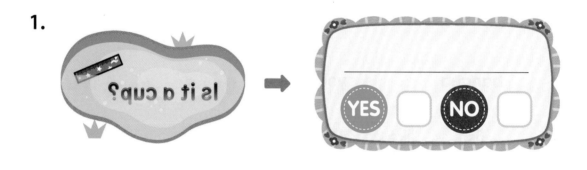

2.

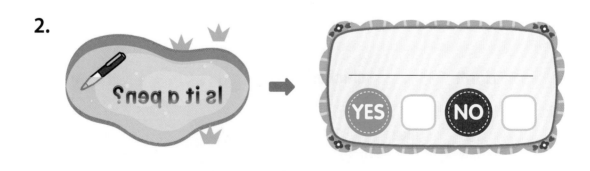

D 미나와 수빈이가 집에 무사히 도착할 수 있게 미로를 통과해 보세요. 미로를 통과하며 만나는 단어로 질문에 알맞은 대답을 써서 대화를 완성하세요.

1.

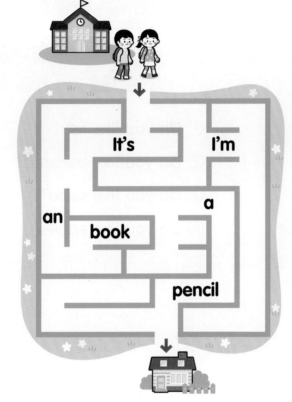

It's   I'm   a   an   book   pencil

A What's this?

B _____

2.

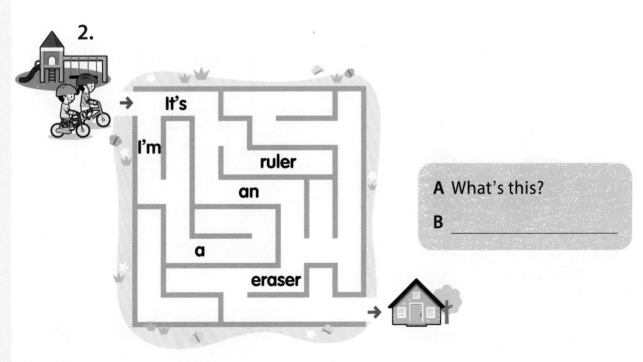

It's   I'm   ruler   an   a   eraser

A What's this?

B _____

1 문장을 읽고 알맞은 그림을 고르세요.

It's an eraser.

①

②

③

④

2 그림을 보고 문장의 빈칸에 알맞은 단어를 고르세요.

How many _____?

① lemons ② pears
③ kiwis   ④ ducks

3 그림을 보고 알맞은 질문을 고르세요.

① Do you like fish?

② Do you like bananas?

③ Do you like salad?

④ Do you like apples?

4 대화를 읽고 알맞은 그림을 고르세요.

A: Is it a ruler?
B: No, it isn't.

①

②

③

④

5 그림을 보고 대화의 빈칸에 알맞은 말이 바르게 짝 지어진 것을 고르세요.

A: How many _____?
B: _____ birds.

① pigs – Three　② pigs – Four
③ birds – Four　④ birds – Five

6 그림을 보고 남자아이가 할 말로 알맞은 것을 고르세요.

A: _____
B: No, I can't.

① Do you like chicken?
② Can you fly?
③ Is it a cat?
④ What's this?

7 그림을 보고 빈칸에 알맞은 단어를 골라 쓰세요.

A: What's this?

B: It's a _____.

(book / bag)

8 그림을 보고 단어를 바르게 배열하여 대화를 완성하세요.

A: _____

(like / you / Do / bread / ?)

B: No, I don't.

Level 1 B • **175**

1주 1일

bag	☐	ball	☐
doll	☐	fan	☐
cup	☐		

1주 2일

chicken	☐	pizza	☐
bread	☐	salad	☐
fish	☐		

1주 3일

dog	☐	cat	☐
duck	☐	pig	☐
bird	☐		

1주 4일

pencil	☐	eraser	☐
ruler	☐	book	☐
pen	☐		

1주 5일

come	☐	open	☐
close	☐	sit	☐
stand	☐		

2주 1일

lemon	☐	apple	☐
pear	☐	banana	☐
kiwi	☐		

2주 2일

one	☐	two	☐
three	☐	four	☐
five	☐		

2주 3일

six	☐	seven	☐
eight	☐	nine	☐
ten	☐		

2주 4일

dad	☐	mom	☐
grandmother	☐	sister	☐
brother	☐		

2주 5일

jump	☐	swim	☐
dive	☐	skate	☐
ski	☐		

3주 1일

small	☐	big	☐
long	☐	short	☐
fat	☐		

3주 2일

black	☐	green	☐
red	☐	yellow	☐
blue	☐		

3주 3일

nose	☐	eye	☐
mouth	☐	ear	☐
face	☐		

3주 4일

sunny	☐	snowing	☐
raining	☐	windy	☐
cloudy	☐		

3주 5일

dance	☐	walk	☐
fly	☐	catch	☐
sing	☐		

memo

memo

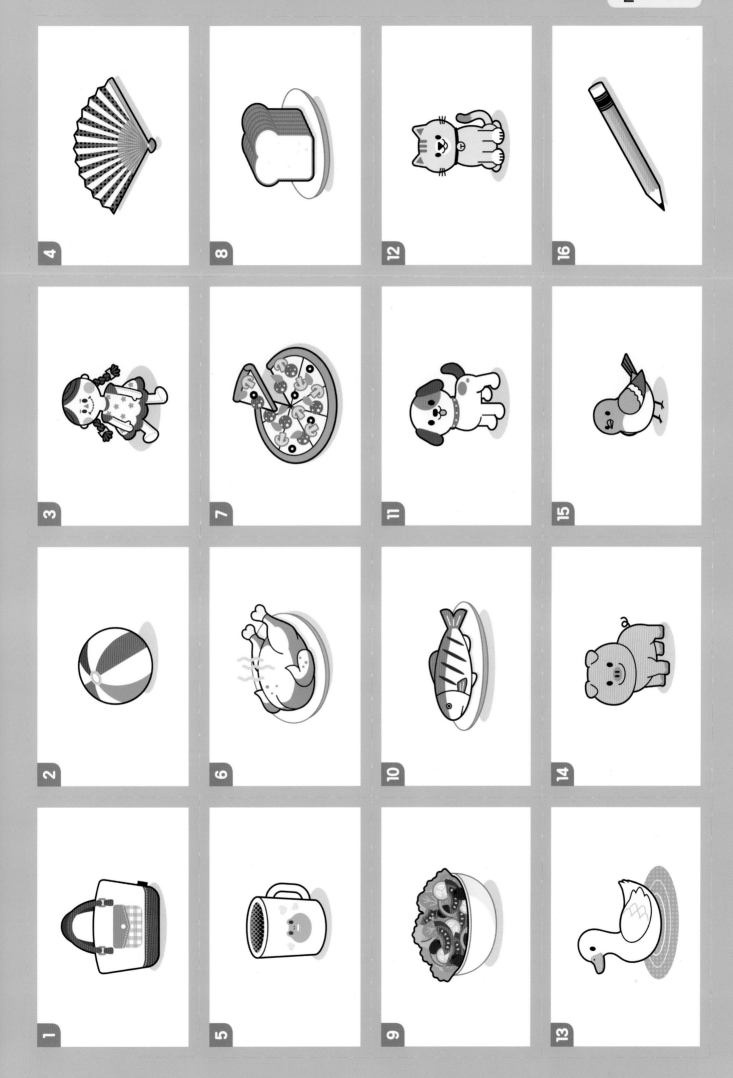

pencil	cat	bread	fan
bird	dog	pizza	doll
pig	fish	chicken	ball
duck	salad	cup	bag

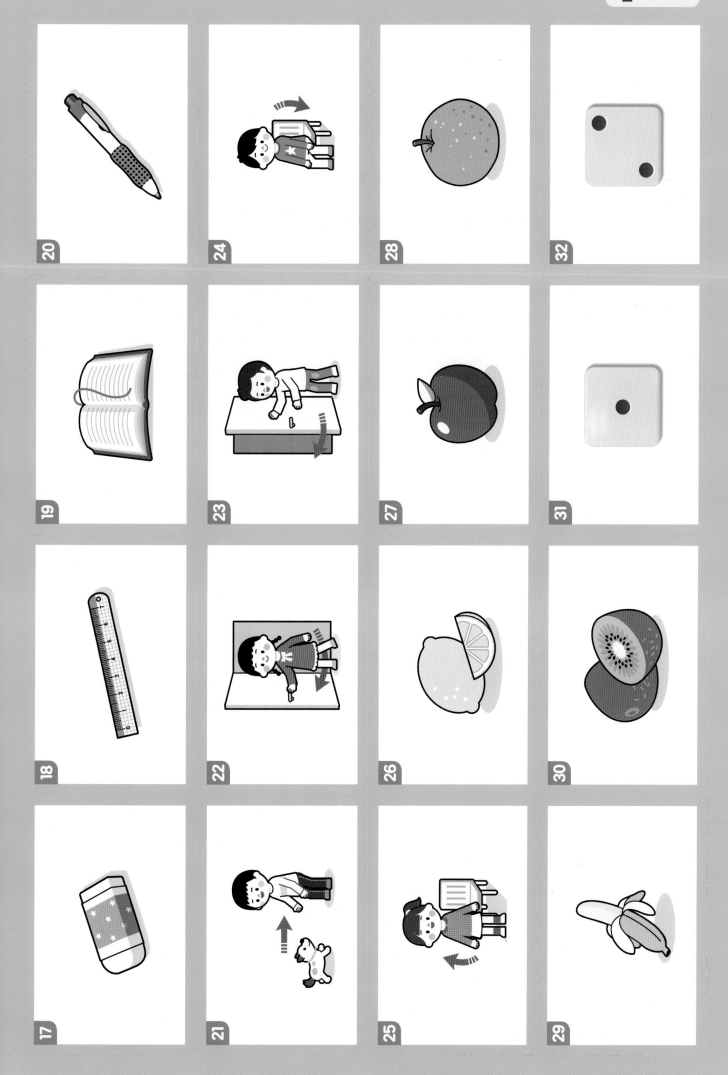

pen	sit	pear	two
book	close	apple	one
ruler	open	lemon	kiwi
eraser	come	stand	banana

six	ten	sister	dive
five	nine	grandmother	swim
four	eight	mom	jump
three	seven	dad	brother

big	black	blue	ear
small	fat	yellow	mouth
ski	short	red	eye
skate	long	green	nose

raining	snowing	sunny	face
walk	dance	cloudy	windy
	sing	catch	fly

영어 알파벳 중에서 가장 위대한 세 철자는
N, O, W
곧 지금(NOW)이다.

The three greatest English alphabets are N, O, W,
which means now.

월터 스콧

언젠가는 해야지, 언젠가는 달라질 거야!
'언젠가는'이라는 말에 자신의 미래를 맡기지 마세요.
해야 할 일, 하고 싶은 일은 지금 당장 실행에 옮기세요.
가장 중요한 건 과거도 미래도 아닌 바로 지금이니까요.

똑똑한 하루 시/리/즈

✎ 쉽다!

10분이면 하루 치 공부를 마칠 수 있는 커리큘럼으로,
아이들이 초등 학습에 쉽고 재미있게 접근할 수 있도록 구성하였습니다.

🧩 재미있다!

교과서는 물론 생활 속에서 쉽게 접할 수 있는 다양한 소재와
재미있는 게임 형식의 문제로 흥미로운 학습이 가능합니다.

📖 똑똑하다!

초등학생에게 꼭 필요한 학습 지식 습득은 물론
창의력 확장까지 가능한 교재로 올바른 공부습관을 가지는 데 도움을 줍니다.

똑똑한

하루
VOCA

정답 ✦

매일매일
쌓이는
영어 기초력

천재교육

Yeah!

1 B
3학년 영어

천재교육

book.chunjae.co.kr

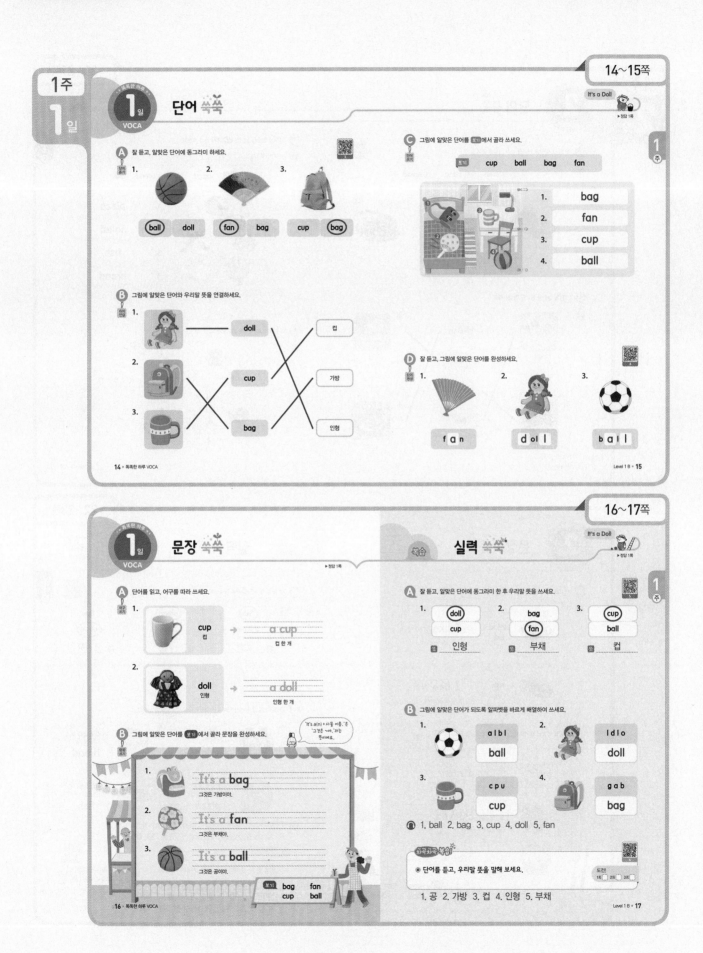

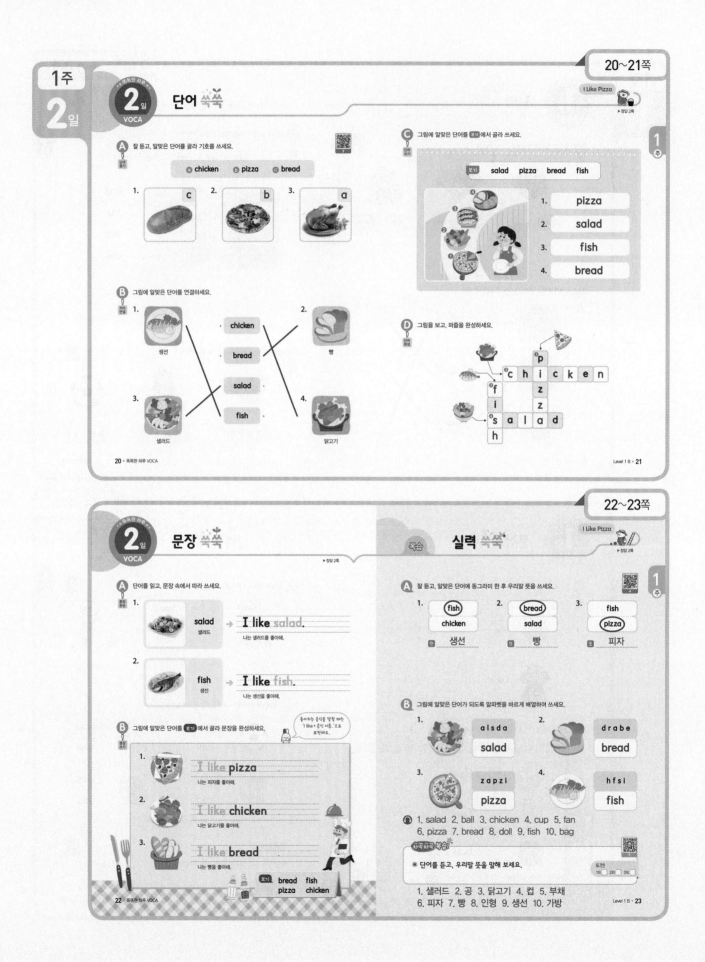

1주
2일

2일 VOCA 단어 🌱🌱

20~21쪽

I Like Pizza
▶정답 2쪽

A 잘 듣고, 알맞은 단어를 골라 기호를 쓰세요.

ⓐ chicken ⓑ pizza ⓒ bread

1. c   2. b   3. a

C 그림에 알맞은 단어를 보기에서 골라 쓰세요.

보기 salad pizza bread fish

1. pizza
2. salad
3. fish
4. bread

B 그림에 알맞은 단어를 연결하세요.

1. 생선
chicken
bread
salad
fish
2. 빵
3. 샐러드
4. 닭고기

D 그림을 보고, 퍼즐을 완성하세요.

p
chicken
f   i   z
i   z
salad
h

2일 VOCA 문장 🌱🌱

복습 실력 🌱🌱

22~23쪽

I Like Pizza
▶정답 2쪽

A 단어를 읽고, 문장 속에서 따라 쓰세요.

1. salad 샐러드 → I like salad.
나는 샐러드를 좋아해.

2. fish 생선 → I like fish.
나는 생선을 좋아해.

A 잘 듣고, 알맞은 단어에 동그라미 한 후 우리말 뜻을 쓰세요.

1. fish / chicken   뜻 생선
2. bread / salad   뜻 빵
3. fish / pizza   뜻 피자

B 그림에 알맞은 단어를 보기에서 골라 문장을 완성하세요.

좋아하는 음식을 말할 때는 'I like+음식 이름.'으로 표현해요.

1. I like pizza
나는 피자를 좋아해.

2. I like chicken
나는 닭고기를 좋아해.

3. I like bread
나는 빵을 좋아해.

보기 bread fish
pizza chicken

B 그림에 알맞은 단어가 되도록 알파벳을 바르게 배열하여 쓰세요.

1. alsda → salad
2. drabe → bread
3. zapzi → pizza
4. hfsi → fish

1. salad 2. ball 3. chicken 4. cup 5. fan
6. pizza 7. bread 8. doll 9. fish 10. bag

차곡차곡 복습

◉ 단어를 듣고, 우리말 뜻을 말해 보세요.

도전
1회 2회 3회

1. 샐러드 2. 공 3. 닭고기 4. 컵 5. 부채
6. 피자 7. 빵 8. 인형 9. 생선 10. 가방

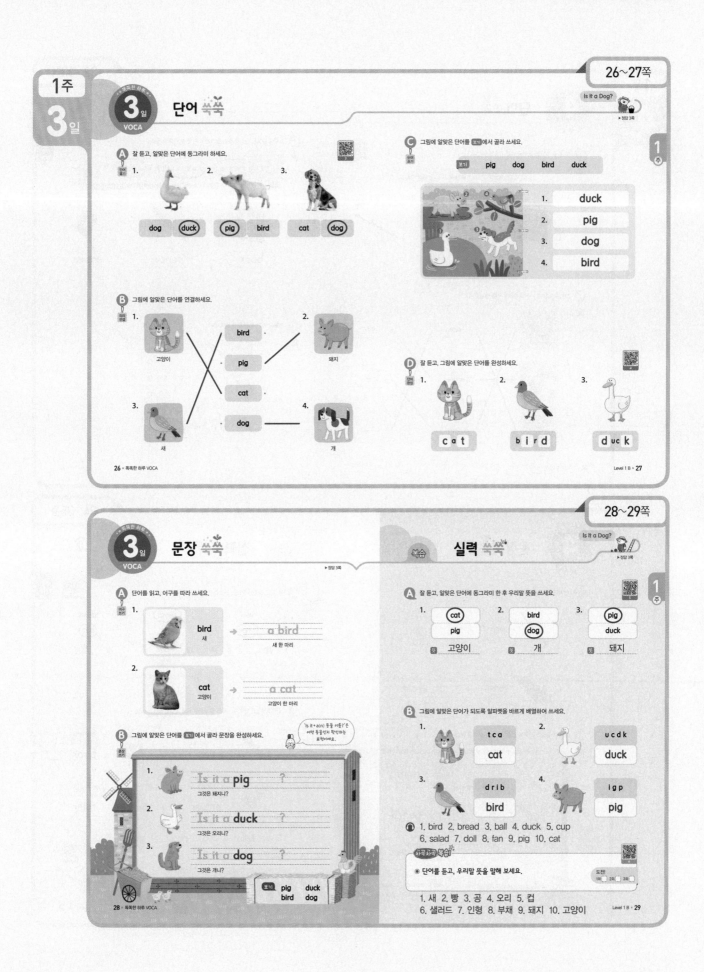

3일 단어 쑥쑥

Is It a Dog?
▶정답 3쪽

A 잘 듣고, 알맞은 단어에 동그라미 하세요.

1. dog (duck)
2. (pig) bird
3. cat (dog)

B 그림에 알맞은 단어를 연결하세요.

1. 고양이 — bird
   pig
   cat
   dog
2. 돼지
3. 새
4. 개

C 그림에 알맞은 단어를 보기에서 골라 쓰세요.

보기 pig dog bird duck

1. duck
2. pig
3. dog
4. bird

D 잘 듣고, 그림에 알맞은 단어를 완성하세요.

1. c a t
2. b i r d
3. d u c k

26 · 똑똑한 하루 VOCA

Level 1 B · 27

3일 문장 쑥쑥

▶정답 3쪽

A 단어를 읽고, 어구를 따라 쓰세요.

1. bird 새 → a bird
   새 한 마리

2. cat 고양이 → a cat
   고양이 한 마리

B 그림에 알맞은 단어를 보기에서 골라 문장을 완성하세요.

'Is it + a(n) 동물 이름?'은 어떤 동물인지 확인하는 표현이에요.

1. Is it a pig ?
   그것은 돼지니?

2. Is it a duck ?
   그것은 오리니?

3. Is it a dog ?
   그것은 개니?

보기 pig duck bird dog

28 · 똑똑한 하루 VOCA

복습 실력 쑥쑥

Is It a Dog?
▶정답 3쪽

A 잘 듣고, 알맞은 단어에 동그라미 한 후 우리말 뜻을 쓰세요.

1. (cat) pig
   뜻 고양이
2. bird (dog)
   뜻 개
3. (pig) duck
   뜻 돼지

B 그림에 알맞은 단어가 되도록 알파벳을 바르게 배열하여 쓰세요.

1. t c a → cat
2. u c d k → duck
3. d r i b → bird
4. i g p → pig

1. bird 2. bread 3. ball 4. duck 5. cup
6. salad 7. doll 8. fan 9. pig 10. cat

차곡차곡 복습

◉ 단어를 듣고, 우리말 뜻을 말해 보세요.

도전 1회 2회 3회

1. 새 2. 빵 3. 공 4. 오리 5. 컵
6. 샐러드 7. 인형 8. 부채 9. 돼지 10. 고양이

Level 1 B · 29

정답 · 3

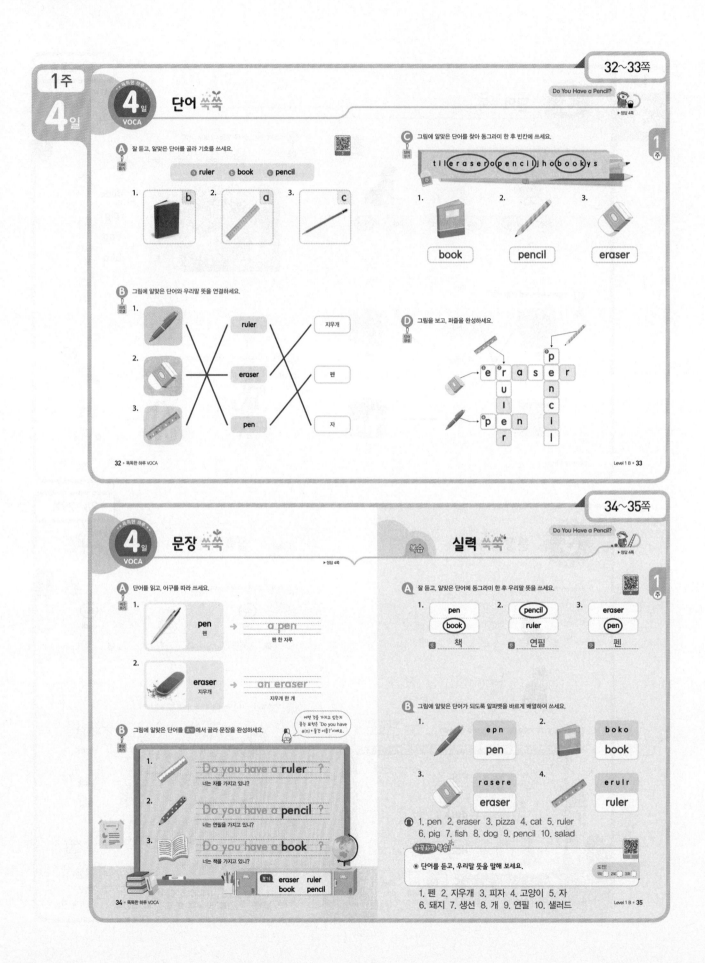

똑똑한 하루
VOCA

1주
4일

4일 VOCA 단어 쑥쑥

Do You Have a Pencil?
▶정답 4쪽

A 잘 듣고, 알맞은 단어를 골라 기호를 쓰세요.

ⓐ ruler   ⓑ book   ⓒ pencil

1. b   2. a   3. c

B 그림에 알맞은 단어와 우리말 뜻을 연결하세요.

1. ruler — 지우개
2. eraser — 펜
3. pen — 자

C 그림에 알맞은 단어를 찾아 동그라미 한 후 빈칸에 쓰세요.

t i l e r a s e r o p e n c i l j h o b o o k y s

1. book   2. pencil   3. eraser

D 그림을 보고, 퍼즐을 완성하세요.

```
              p
    e r a s e r
    u       n
    l       c
    e       i
  p e n     l
    r
```

32 ▶ 똑똑한 하루 VOCA

Level 1 B ▶ 33

4일 VOCA 문장 쑥쑥

▶정답 4쪽

A 단어를 읽고, 어구를 따라 쓰세요.

1. pen 펜 → a pen
   펜 한 자루

2. eraser 지우개 → an eraser
   지우개 한 개

어떤 것을 가지고 있는지 묻는 표현은 'Do you have a(n)+물건 이름?'이에요.

B 그림에 알맞은 단어를 보기 에서 골라 문장을 완성하세요.

1. Do you have a ruler ?
   너는 자를 가지고 있니?

2. Do you have a pencil ?
   너는 연필을 가지고 있니?

3. Do you have a book ?
   너는 책을 가지고 있니?

보기 eraser   ruler   book   pencil

34 ▶ 똑똑한 하루 VOCA

복습 실력 쑥쑥

Do You Have a Pencil?
▶정답 4쪽

A 잘 듣고, 알맞은 단어에 동그라미 한 후 우리말 뜻을 쓰세요.

1. pen (book)   2. (pencil) ruler   3. eraser (pen)
   뜻 책   뜻 연필   뜻 펜

B 그림에 알맞은 단어가 되도록 알파벳을 바르게 배열하여 쓰세요.

1. e p n → pen
2. b o k o → book
3. r a s e r e → eraser
4. e r u l r → ruler

🎧 1. pen 2. eraser 3. pizza 4. cat 5. ruler
6. pig 7. fish 8. dog 9. pencil 10. salad

차곡차곡 복습

● 단어를 듣고, 우리말 뜻을 말해 보세요.
도전 1회 2회 3회

1. 펜 2. 지우개 3. 피자 4. 고양이 5. 자
6. 돼지 7. 생선 8. 개 9. 연필 10. 샐러드

Level 1 B ▶ 35

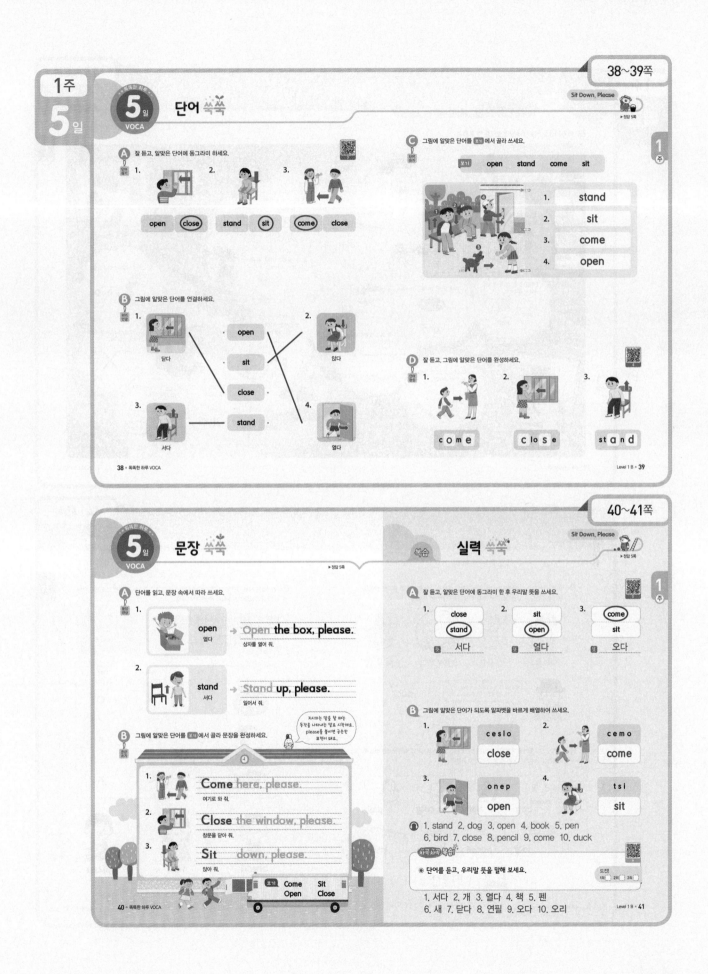

46~47쪽

1주 특강

Brain Game Zone

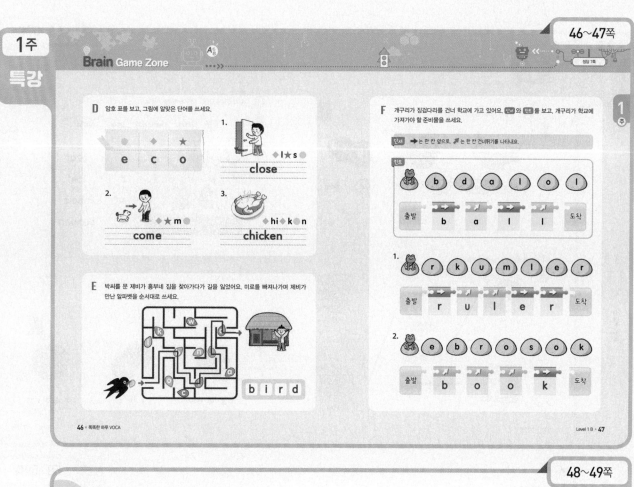

D 암호 표를 보고, 그림에 알맞은 단어를 쓰세요.

e c o

1. close
2. come
3. chicken

E 박씨를 문 제비가 흥부네 집을 찾아가다가 길을 잃었어요. 미로를 빠져나가며 제비가 만난 알파벳을 순서대로 쓰세요.

b i r d

F 개구리가 징검다리를 건너 학교에 가고 있어요. 단서와 힌트를 보고, 개구리가 학교에 가져가야 할 준비물을 쓰세요.

단서 ➜ 는 한 칸 앞으로, 🔀 는 한 칸 건너뛰기를 나타내요.

힌트

b d a l o l

b a l l

1. r k u m l e r

r u l e r

2. e b r o s o k

b o o k

46 • 똑똑한 하루 VOCA

Level 1 B • 47

48~49쪽

1주 누구나 100점 TEST

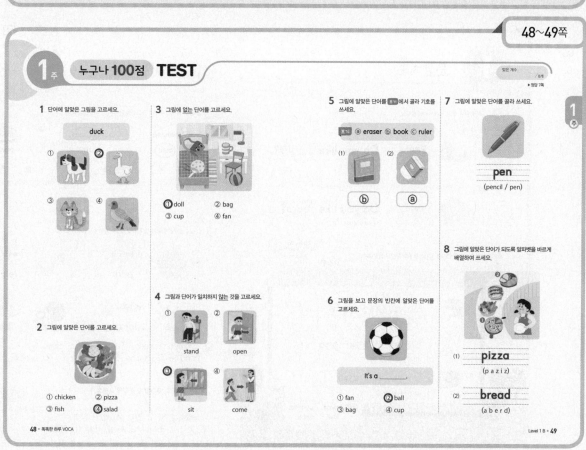

1 단어에 알맞은 그림을 고르세요.

duck

① ② ③ ④

2 그림에 알맞은 단어를 고르세요.

① chicken　② pizza
③ fish　④ salad

3 그림에 없는 단어를 고르세요.

① doll　② bag
③ cup　④ fan

4 그림과 단어가 일치하지 않는 것을 고르세요.

① stand　② open
③ sit　④ come

5 그림에 알맞은 단어를 보기에서 골라 기호를 쓰세요.

보기 ⓐ eraser ⓑ book ⓒ ruler

(1) ⓑ　(2) ⓐ

6 그림을 보고 문장의 빈칸에 알맞은 단어를 고르세요.

It's a _____.

① fan　② ball
③ bag　④ cup

7 그림에 알맞은 단어를 골라 쓰세요.

pen

(pencil / pen)

8 그림에 알맞은 단어가 되도록 알파벳을 바르게 배열하여 쓰세요.

(1) pizza

(p a z i z)

(2) bread

(a b e r d)

48 • 똑똑한 하루 VOCA

Level 1 B • 49

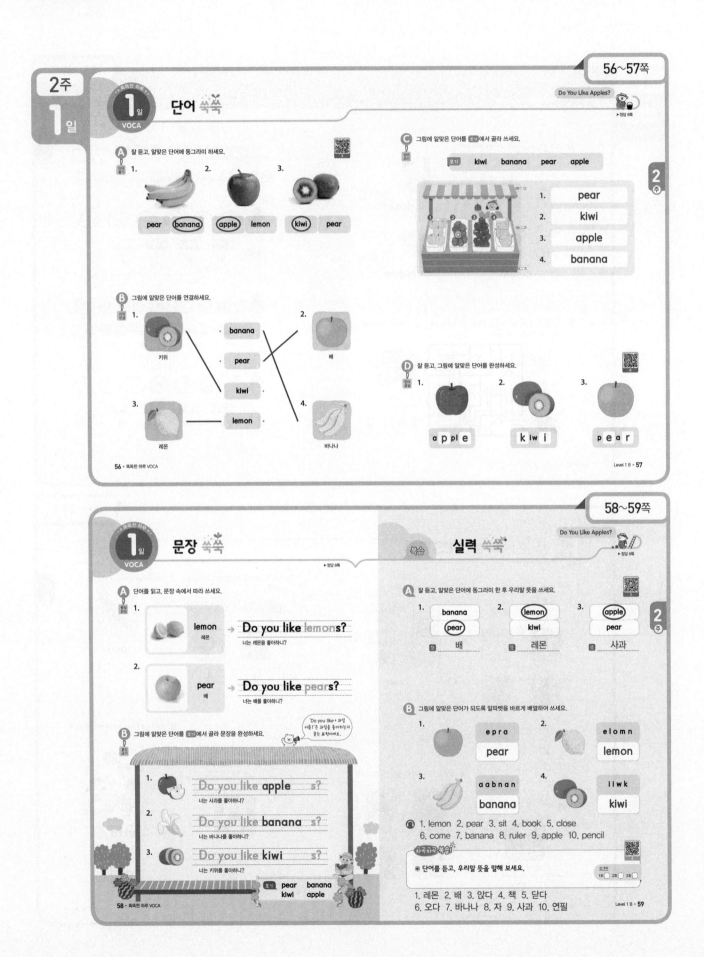

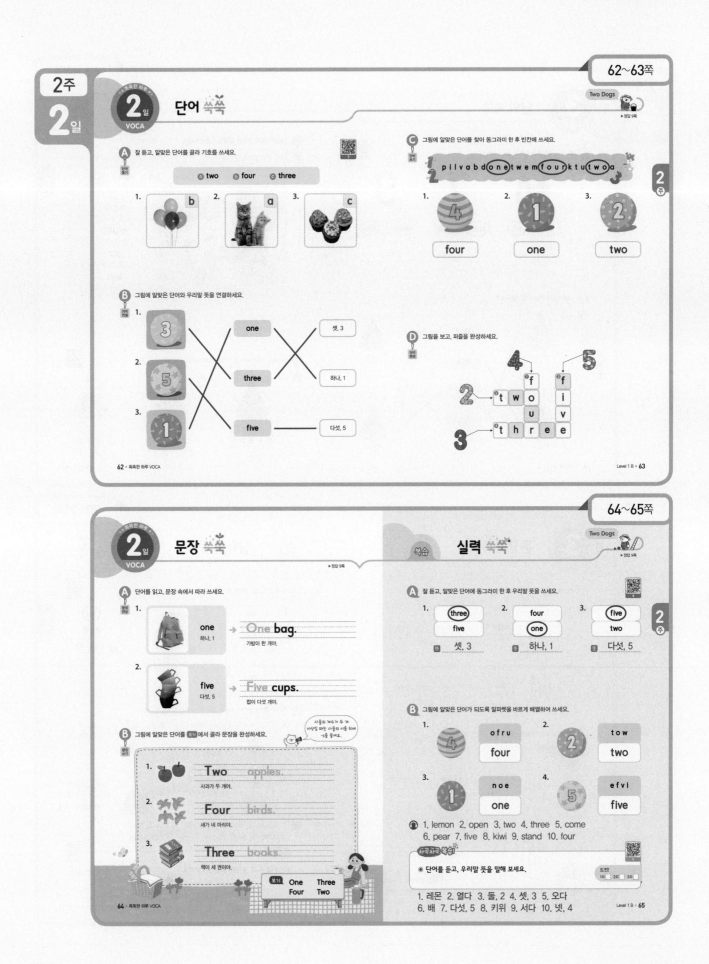

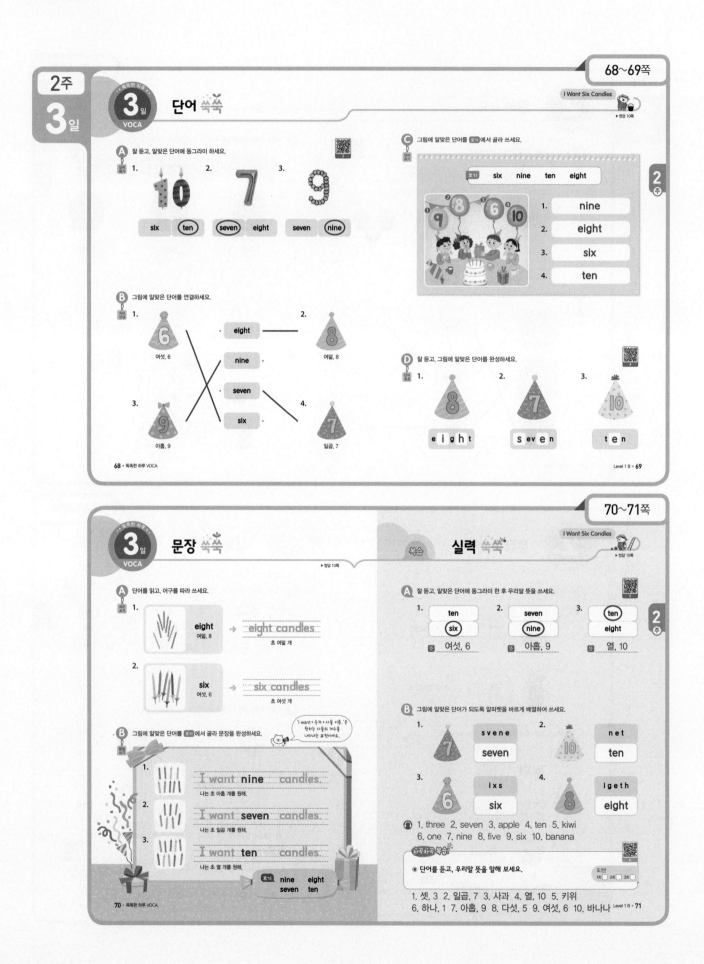

똑똑한 하루
VOCA

2주
3일

3일 VOCA 단어 쑥쑥

I Want Six Candles
▶정답 10쪽

Ⓐ 잘 듣고, 알맞은 단어에 동그라미 하세요.

1. 10 six (ten)
2. 7 (seven) eight
3. 9 seven (nine)

Ⓑ 그림에 알맞은 단어를 연결하세요.

1. 6 여섯, 6
2. 8 여덟, 8
3. 9 아홉, 9
4. 7 일곱, 7

eight
nine
seven
six

Ⓒ 그림에 알맞은 단어를 보기에서 골라 쓰세요.

보기 six nine ten eight

1. nine
2. eight
3. six
4. ten

Ⓓ 잘 듣고, 그림에 알맞은 단어를 완성하세요.

1. 8 e i g h t
2. 7 s e v e n
3. 10 t e n

68 · 똑똑한 하루 VOCA

Level 1 B · 69

3일 VOCA 문장 쑥쑥
▶정답 10쪽

Ⓐ 단어를 읽고, 어구를 따라 쓰세요.

1. eight 여덟, 8 → eight candles 초 여덟 개
2. six 여섯, 6 → six candles 초 여섯 개

Ⓑ 그림에 알맞은 단어를 보기에서 골라 문장을 완성하세요.

'I want + 숫자 + 사물 이름.'은 원하는 사물의 개수를 나타내는 표현이에요.

1. I want nine candles. 나는 초 아홉 개를 원해.
2. I want seven candles. 나는 초 일곱 개를 원해.
3. I want ten candles. 나는 초 열 개를 원해.

보기 nine eight seven ten

70 · 똑똑한 하루 VOCA

복습 실력 쑥쑥

I Want Six Candles
▶정답 10쪽

Ⓐ 잘 듣고, 알맞은 단어에 동그라미 한 후 우리말 뜻을 쓰세요.

1. ten (six) 여섯, 6
2. seven (nine) 아홉, 9
3. (ten) eight 열, 10

Ⓑ 그림에 알맞은 단어가 되도록 알파벳을 바르게 배열하여 쓰세요.

1. 7 s v e n e seven
2. 10 n e t ten
3. 6 i x s six
4. 8 i g e t h eight

🔊 1. three 2. seven 3. apple 4. ten 5. kiwi
6. one 7. nine 8. five 9. six 10. banana

친곡친곡 복습
● 단어를 듣고, 우리말 뜻을 말해 보세요.

도전 1회 □ 2회 □ 3회 □

1. 셋, 3 2. 일곱, 7 3. 사과 4. 열, 10 5. 키위
6. 하나, 1 7. 아홉, 9 8. 다섯, 5 9. 여섯, 6 10. 바나나

Level 1 B · 71

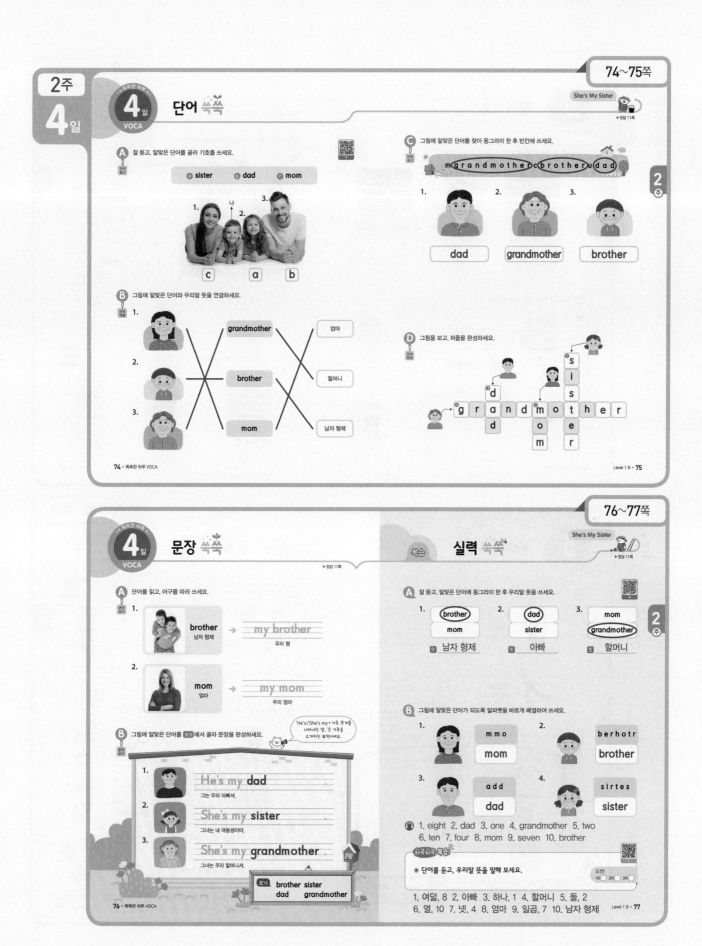

2주

4일 VOCA

4일 단어 쑥쑥

She's My Sister

▶정답 11쪽

A 잘 듣고, 알맞은 단어를 골라 기호를 쓰세요.

ⓐ sister   ⓑ dad   ⓒ mom

1. c   2. a   3. b

B 그림에 알맞은 단어와 우리말 뜻을 연결하세요.

1. grandmother — 할머니
2. brother — 남자 형제
3. mom — 엄마

C 그림에 알맞은 단어를 찾아 동그라미 한 후 빈칸에 쓰세요.

m **grandmother** c **brother** u **dad**

1. dad   2. grandmother   3. brother

D 그림을 보고, 퍼즐을 완성하세요.

s i s t e r
d
g r a n d m o t h e r
d
o
m

74 • 똑똑한 하루 VOCA

Level 1 B • 75

4일 VOCA

4일 문장 쑥쑥

▶정답 11쪽

A 단어를 읽고, 어구를 따라 쓰세요.

1. brother 남자 형제 → my brother 우리 형

2. mom 엄마 → my mom 우리 엄마

B 그림에 알맞은 단어를 보기에서 골라 문장을 완성하세요.

'He's/She's my + 가족 관계'를 나타내는 말. '은 가족을 소개하는 표현이에요.

1. He's my dad
그는 우리 아빠셔.

2. She's my sister
그녀는 내 여동생이야.

3. She's my grandmother
그녀는 우리 할머니셔.

보기 brother sister dad grandmother

76 • 똑똑한 하루 VOCA

복습 실력 쑥쑥

She's My Sister

▶정답 11쪽

A 잘 듣고, 알맞은 단어에 동그라미 한 후 우리말 뜻을 쓰세요.

1. (brother) / mom 뜻 남자 형제
2. (dad) / sister 뜻 아빠
3. mom / (grandmother) 뜻 할머니

B 그림에 알맞은 단어가 되도록 알파벳을 바르게 배열하여 쓰세요.

1. m m o → mom
2. b e r h o t r → brother
3. a d d → dad
4. s i r t e s → sister

1. eight 2. dad 3. one 4. grandmother 5. two
6. ten 7. four 8. mom 9. seven 10. brother

차곡차곡 복습

● 단어를 듣고, 우리말 뜻을 말해 보세요.

도전 1회 2회 3회

1. 여덟, 8 2. 아빠 3. 하나, 1 4. 할머니 5. 둘, 2
6. 열, 10 7. 넷, 4 8. 엄마 9. 일곱, 7 10. 남자 형제

Level 1 B • 77

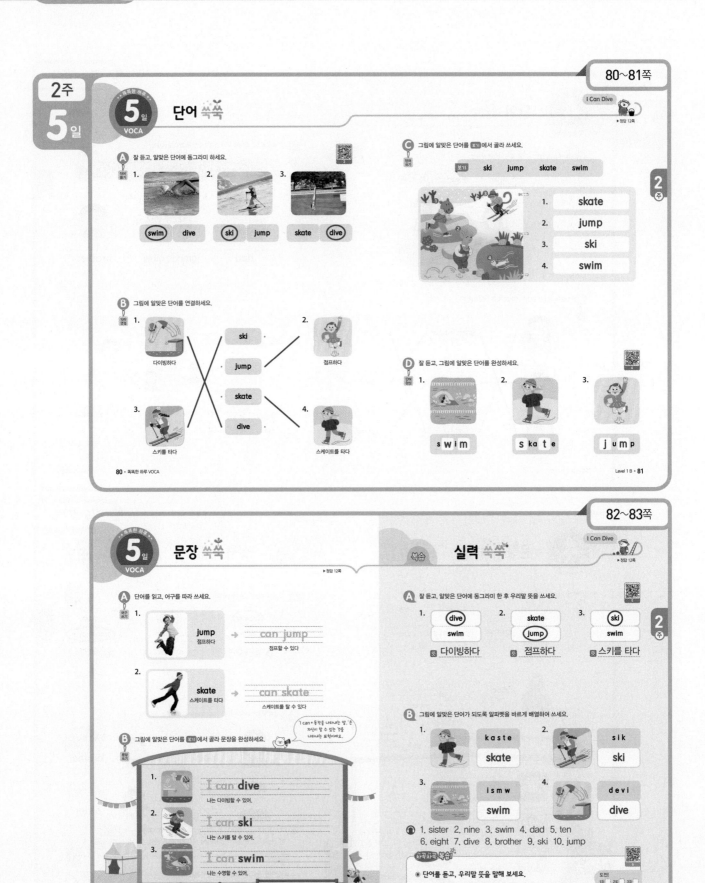

2주 5일 VOCA 단어 쑥쑥

I Can Dive
▶정답 12쪽

A 잘 듣고, 알맞은 단어에 동그라미 하세요.

1. swim / dive
2. ski / jump
3. skate / dive

B 그림에 알맞은 단어를 연결하세요.

1. 다이빙하다 — ski
   jump
   skate
   dive
2. 점프하다
3. 스키를 타다
4. 스케이트를 타다

C 그림에 알맞은 단어를 보기에서 골라 쓰세요.

보기 ski   jump   skate   swim

1. skate
2. jump
3. ski
4. swim

D 잘 듣고, 그림에 알맞은 단어를 완성하세요.

1. s w i m
2. s k a t e
3. j u m p

80 • 똑똑한 하루 VOCA

Level 1 B • 81

5일 VOCA 문장 쑥쑥

▶정답 12쪽

A 단어를 읽고, 어구를 따라 쓰세요.

1. jump 점프하다 → can jump
   점프할 수 있다
2. skate 스케이트를 타다 → can skate
   스케이트를 탈 수 있다

'I can+동작을 나타내는 말.'은 자신이 할 수 있는 것을 나타내는 표현이에요.

B 그림에 알맞은 단어를 보기에서 골라 문장을 완성하세요.

1. I can dive
   나는 다이빙할 수 있어.
2. I can ski
   나는 스키를 탈 수 있어.
3. I can swim
   나는 수영할 수 있어.

보기 swim skate
ski dive

82 • 똑똑한 하루 VOCA

복습 실력 쑥쑥

I Can Dive
▶정답 12쪽

A 잘 듣고, 알맞은 단어에 동그라미 한 후 우리말 뜻을 쓰세요.

1. dive / swim   뜻 다이빙하다
2. skate / jump   뜻 점프하다
3. ski / swim   뜻 스키를 타다

B 그림에 알맞은 단어가 되도록 알파벳을 바르게 배열하여 쓰세요.

1. kaste → skate
2. sik → ski
3. ismw → swim
4. devi → dive

🎧 1. sister 2. nine 3. swim 4. dad 5. ten
6. eight 7. dive 8. brother 9. ski 10. jump

차곡차곡 복습

● 단어를 듣고, 우리말 뜻을 말해 보세요.

도전 1회 2회 3회

1. 여자 형제 2. 아홉, 9 3. 수영하다 4. 아빠 5. 열, 10 6. 여덟, 8
7. 다이빙하다 8. 남자 형제 9. 스키를 타다 10. 점프하다

Level 1 B • 83

정답

2주 특강

2주 특강 Brain Game Zone

정답 13쪽

배운 내용을 떠올리며 말판 놀이를 해 보세요.

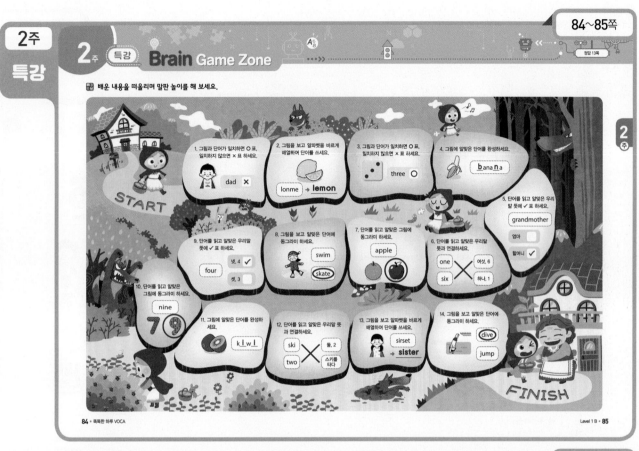

Brain Game Zone

정답 13쪽

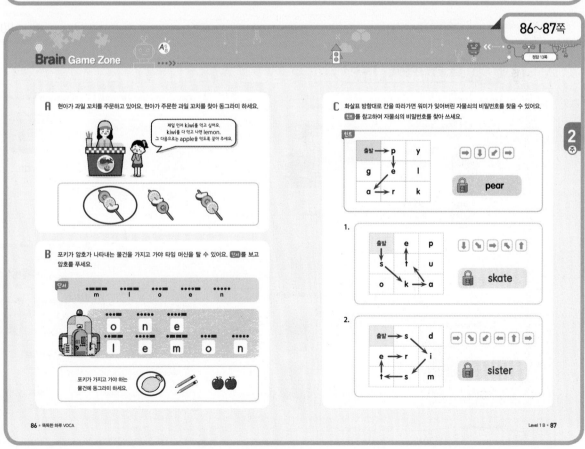

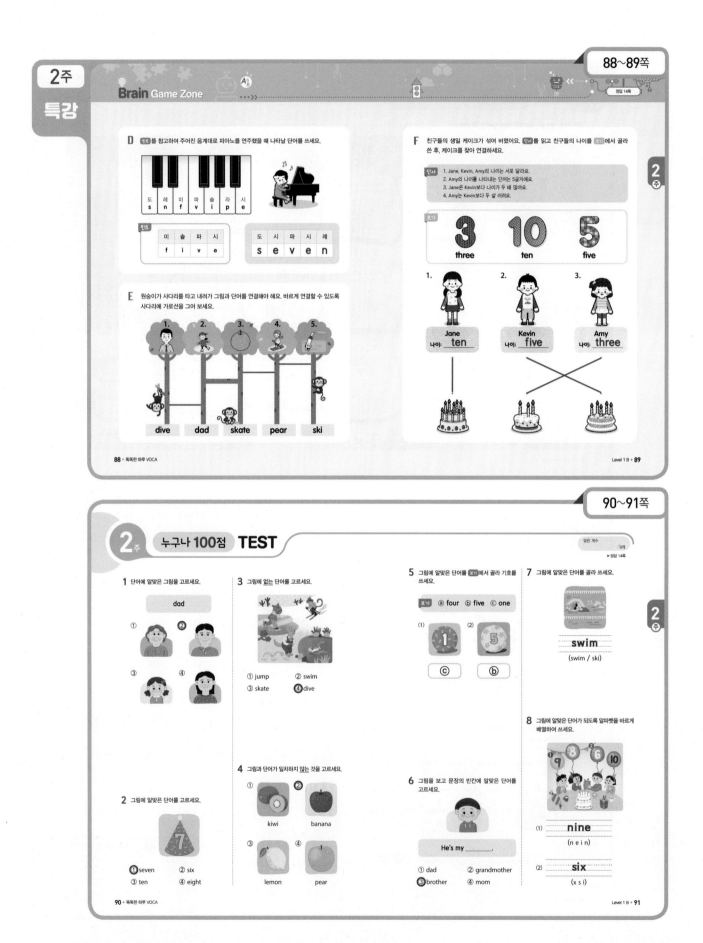

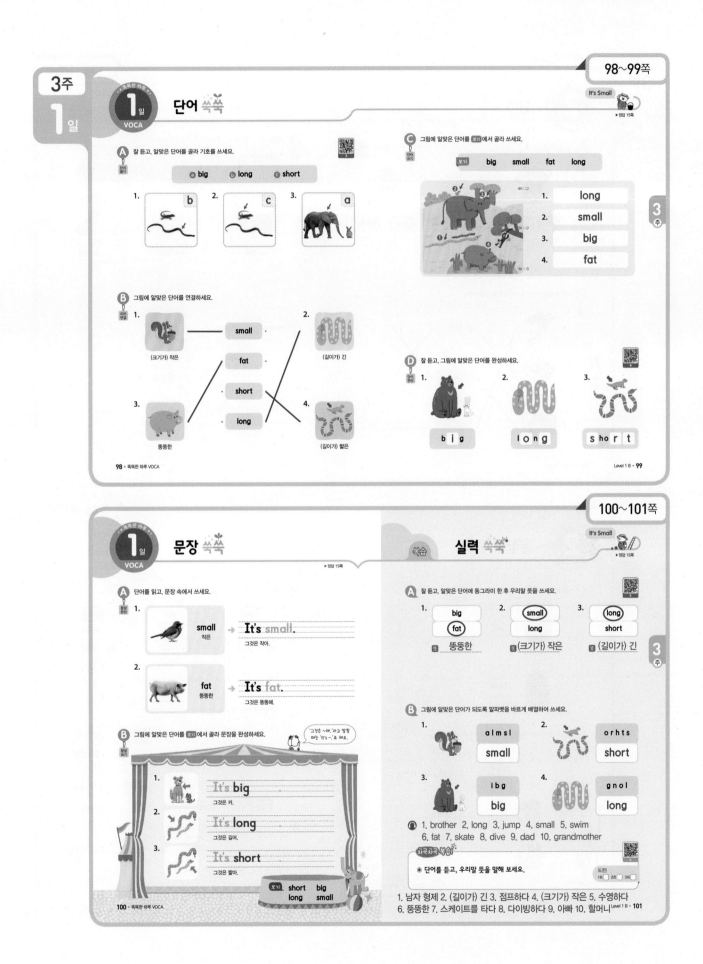

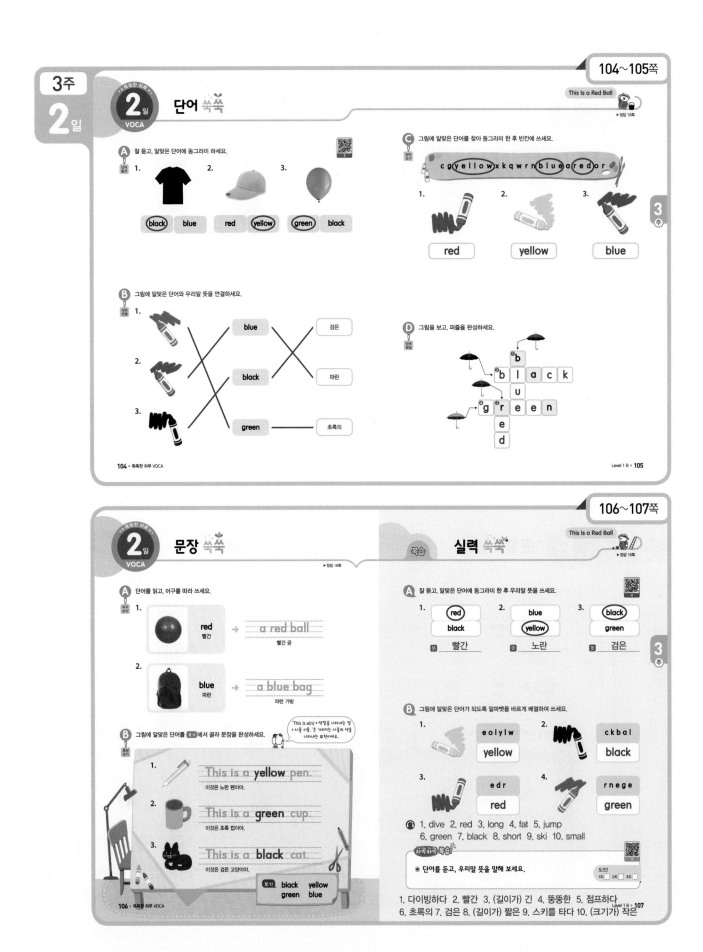

3주

2일 VOCA

2일 단어 쑥쑥

This Is a Red Ball
▶정답 16쪽

Ⓐ 잘 듣고, 알맞은 단어에 동그라미 하세요.

1. 2. 3.

(black) blue | red (yellow) | (green) black

Ⓒ 그림에 알맞은 단어를 찾아 동그라미 한 후 빈칸에 쓰세요.

c g (yellow) x k q w r n (blue) a (red) o r

1. red
2. yellow
3. blue

Ⓑ 그림에 알맞은 단어와 우리말 뜻을 연결하세요.

1. blue — 검은
2. black — 파란
3. green — 초록의

Ⓓ 그림을 보고, 퍼즐을 완성하세요.

b
l a c k
u
g r e e n
e
d

104 • 똑똑한 하루 VOCA

Level 1 B • 105

2일 VOCA 문장 쑥쑥

▶정답 16쪽

복습 실력 쑥쑥

This Is a Red Ball
▶정답 16쪽

Ⓐ 단어를 읽고, 어구를 따라 쓰세요.

1. red 빨간 → a red ball
빨간 공

2. blue 파란 → a blue bag
파란 가방

Ⓑ 그림에 알맞은 단어를 보기에서 골라 문장을 완성하세요.

This is a(n) + 색깔을 나타내는 말 + 사물 이름. '은' 가리키는 사물의 색을 나타내는 표현이에요.

1. This is a yellow pen
이것은 노란 펜이야.

2. This is a green cup
이것은 초록 컵이야.

3. This is a black cat
이것은 검은 고양이야.

보기 black yellow
green blue

106 • 똑똑한 하루 VOCA

Ⓐ 잘 듣고, 알맞은 단어에 동그라미 한 후 우리말 뜻을 쓰세요.

1. (red) black 뜻 빨간
2. blue (yellow) 뜻 노란
3. (black) green 뜻 검은

Ⓑ 그림에 알맞은 단어가 되도록 알파벳을 바르게 배열하여 쓰세요.

1. eolylw → yellow
2. ckbal → black
3. edr → red
4. rnege → green

🎧 1. dive 2. red 3. long 4. fat 5. jump
6. green 7. black 8. short 9. ski 10. small

차곡차곡 복습

◉ 단어를 듣고, 우리말 뜻을 말해 보세요.

도전 1회 2회 3회

1. 다이빙하다 2. 빨간 3. (길이가) 긴 4. 뚱뚱한 5. 점프하다
6. 초록의 7. 검은 8. (길이가) 짧은 9. 스키를 타다 10. (크기가) 작은

Level 1 B • 107

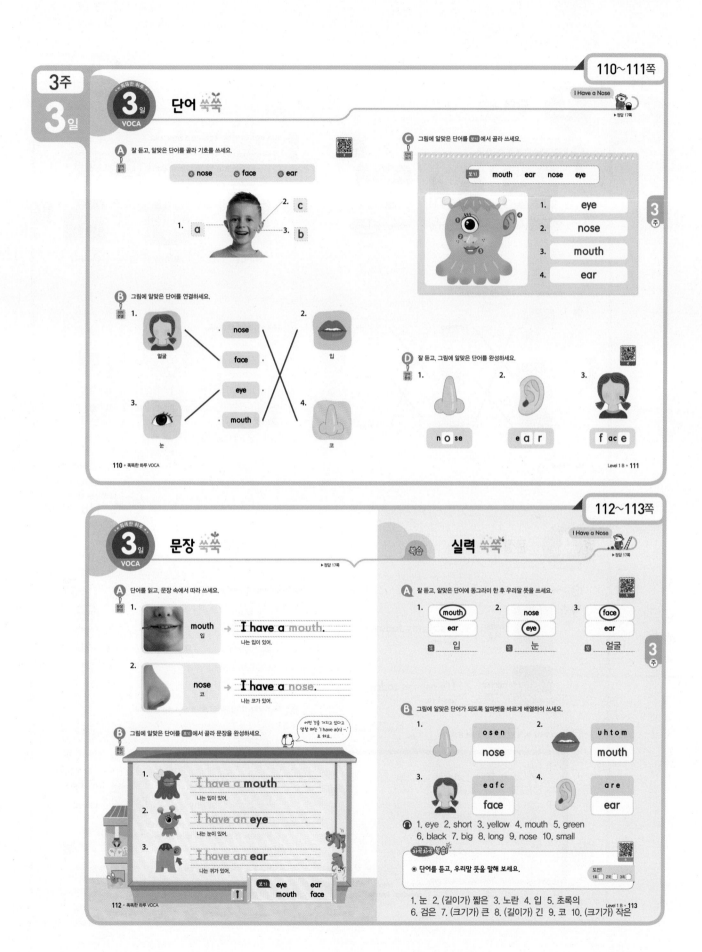

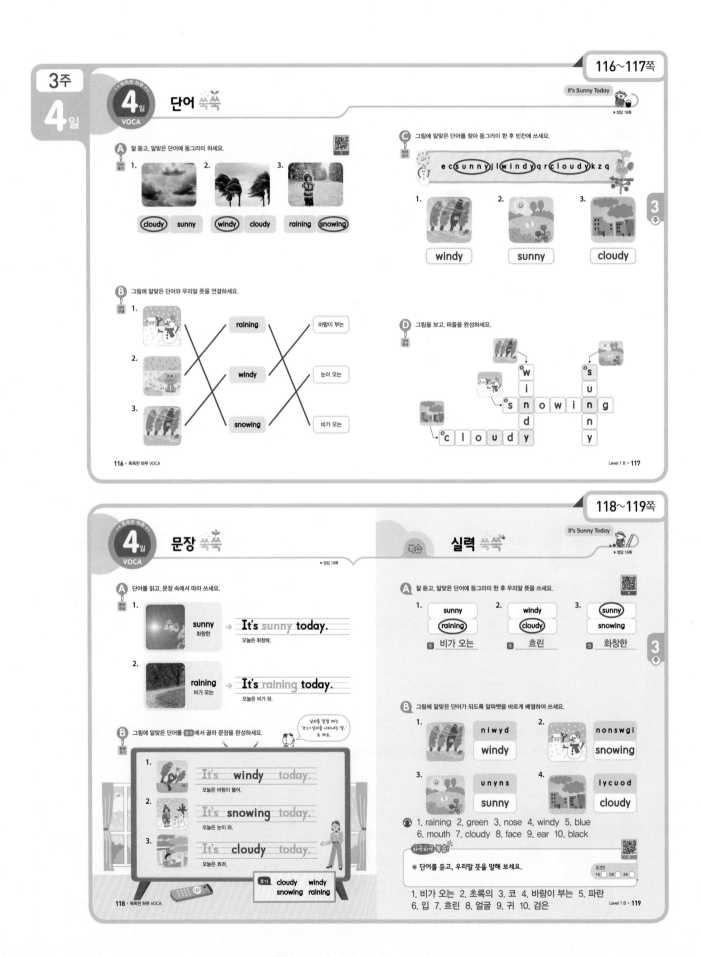

3주 4일

4일 VOCA 단어 쑥쑥

It's Sunny Today
▶정답 18쪽

A 잘 듣고, 알맞은 단어에 동그라미 하세요.

1. cloudy / sunny
2. windy / cloudy
3. raining / snowing

B 그림에 알맞은 단어와 우리말 뜻을 연결하세요.

1. raining — 바람이 부는
2. windy — 눈이 오는
3. snowing — 비가 오는

C 그림에 알맞은 단어를 찾아 동그라미 한 후 빈칸에 쓰세요.

e c s u n n y j l w i n d y q r c l o u d y k z q

1. windy
2. sunny
3. cloudy

D 그림을 보고, 퍼즐을 완성하세요.

w i n d — s u n n y

s n o w i n g

c l o u d y

116 • 똑똑한 하루 VOCA

Level 1 B • 117

4일 VOCA 문장 쑥쑥

▶정답 18쪽

A 단어를 읽고, 문장 속에서 따라 쓰세요.

1. sunny 화창한 → It's sunny today.
오늘은 화창해.

2. raining 비가 오는 → It's raining today.
오늘은 비가 와.

B 그림에 알맞은 단어를 보기에서 골라 문장을 완성하세요.

날씨를 말할 때는 'It's+날씨를 나타내는 말.' 로 해요.

1. It's windy today.
오늘은 바람이 불어.

2. It's snowing today.
오늘은 눈이 와.

3. It's cloudy today.
오늘은 흐려.

보기 cloudy windy snowing raining

복습 실력 쑥쑥

It's Sunny Today
▶정답 18쪽

A 잘 듣고, 알맞은 단어에 동그라미 한 후 우리말 뜻을 쓰세요.

1. sunny / raining
뜻 비가 오는

2. windy / cloudy
뜻 흐린

3. sunny / snowing
뜻 화창한

B 그림에 알맞은 단어가 되도록 알파벳을 바르게 배열하여 쓰세요.

1. n i w y d → windy
2. n o n s w g i → snowing
3. u n y n s → sunny
4. l y c u o d → cloudy

1. raining 2. green 3. nose 4. windy 5. blue
6. mouth 7. cloudy 8. face 9. ear 10. black

차곡차곡 복습

● 단어를 듣고, 우리말 뜻을 말해 보세요.
도전 1회 2회 3회

1. 비가 오는 2. 초록의 3. 코 4. 바람이 부는 5. 파란
6. 입 7. 흐린 8. 얼굴 9. 귀 10. 검은

118 • 똑똑한 하루 VOCA

Level 1 B • 119

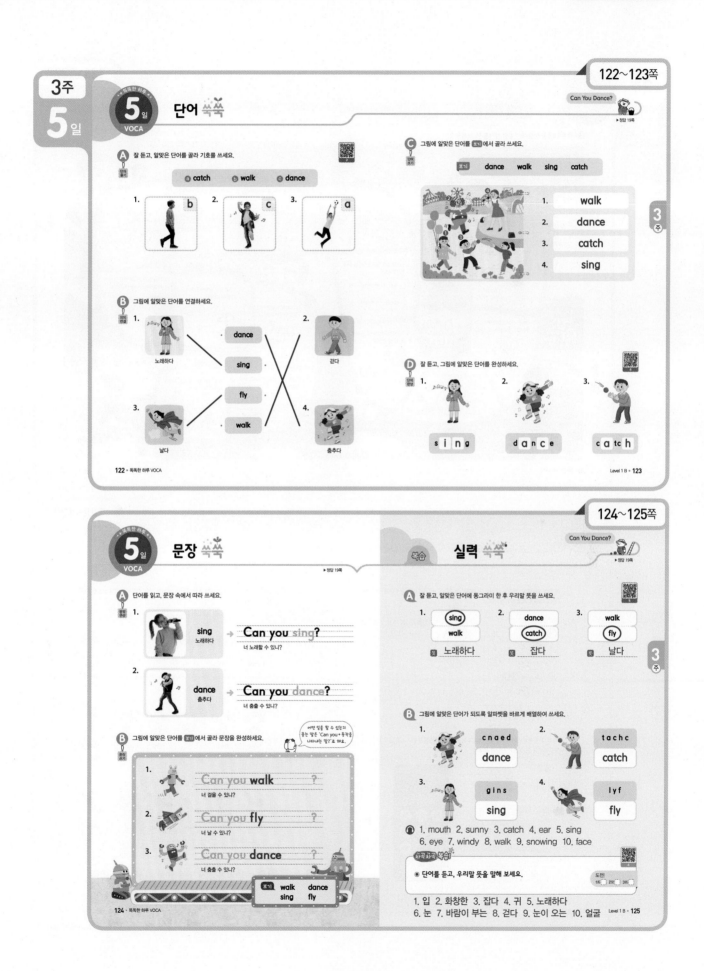

3주 5일

5일 VOCA 단어 쑥쑥

Can You Dance?
▶정답 19쪽

A 잘 듣고, 알맞은 단어를 골라 기호를 쓰세요.

ⓐ catch ⓑ walk ⓒ dance

1. b
2. c
3. a

B 그림에 알맞은 단어를 연결하세요.

1. 노래하다 — dance
   sing
   fly
   walk
2. 걷다
3. 날다
4. 춤추다

C 그림에 알맞은 단어를 보기에서 골라 쓰세요.

보기 dance walk sing catch

1. walk
2. dance
3. catch
4. sing

D 잘 듣고, 그림에 알맞은 단어를 완성하세요.

1. s i n g
2. d a n c e
3. c a t c h

122 · 똑똑한 하루 VOCA

Level 1 B · 123

5일 VOCA 문장 쑥쑥

▶정답 19쪽

A 단어를 읽고, 문장 속에서 따라 쓰세요.

1. sing 노래하다 → Can you sing?
   너 노래할 수 있니?

2. dance 춤추다 → Can you dance?
   너 춤출 수 있니?

B 그림에 알맞은 단어를 보기에서 골라 문장을 완성하세요.

어떤 일을 할 수 있는지 묻는 말은 'Can you + 동작'을 나타내는 말?'로 해요.

1. Can you walk ?
   너 걸을 수 있니?

2. Can you fly ?
   너 날 수 있니?

3. Can you dance ?
   너 춤출 수 있니?

보기 walk dance sing fly

124 · 똑똑한 하루 VOCA

복습 실력 쑥쑥

Can You Dance?
▶정답 19쪽

A 잘 듣고, 알맞은 단어에 동그라미 한 후 우리말 뜻을 쓰세요.

1. sing / walk
   뜻 노래하다

2. dance / catch
   뜻 잡다

3. walk / fly
   뜻 날다

B 그림에 알맞은 단어가 되도록 알파벳을 바르게 배열하여 쓰세요.

1. cnaed → dance
2. tachc → catch
3. gins → sing
4. lyf → fly

1. mouth 2. sunny 3. catch 4. ear 5. sing
6. eye 7. windy 8. walk 9. snowing 10. face

차곡차곡 복습

● 단어를 듣고, 우리말 뜻을 말해 보세요.

도전! 1회 2회 3회

1. 입 2. 화창한 3. 잡다 4. 귀 5. 노래하다
6. 눈 7. 바람이 부는 8. 걷다 9. 눈이 오는 10. 얼굴

Level 1 B · 125

정답 · **19**

3주
특강

3주 특강 **Brain** Game Zone

정답 20쪽

배운 내용을 떠올리며 말판 놀이를 해 보세요.

Brain Game Zone

정답 20쪽

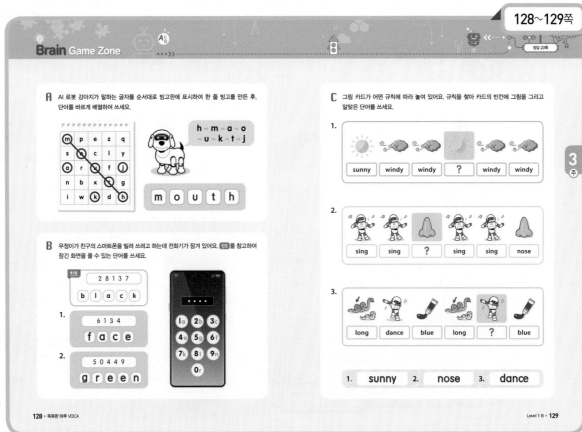

A AI 로봇 강아지가 말하는 글자를 순서대로 빙고판에 표시하여 한 줄 빙고를 만든 후, 단어를 바르게 배열하여 쓰세요.

B 우정이가 친구의 스마트폰을 빌려 쓰려고 하는데 전화기가 잠겨 있어요. 힌트를 참고하여 잠긴 화면을 풀 수 있는 단어를 쓰세요.

C 그림 카드가 어떤 규칙에 따라 놓여 있어요. 규칙을 찾아 카드의 빈칸에 그림을 그리고 알맞은 단어를 쓰세요.

1. sunny windy windy ? windy windy

2. sing sing ? sing sing nose

3. long dance blue long ? blue

1. **sunny** 2. **nose** 3. **dance**

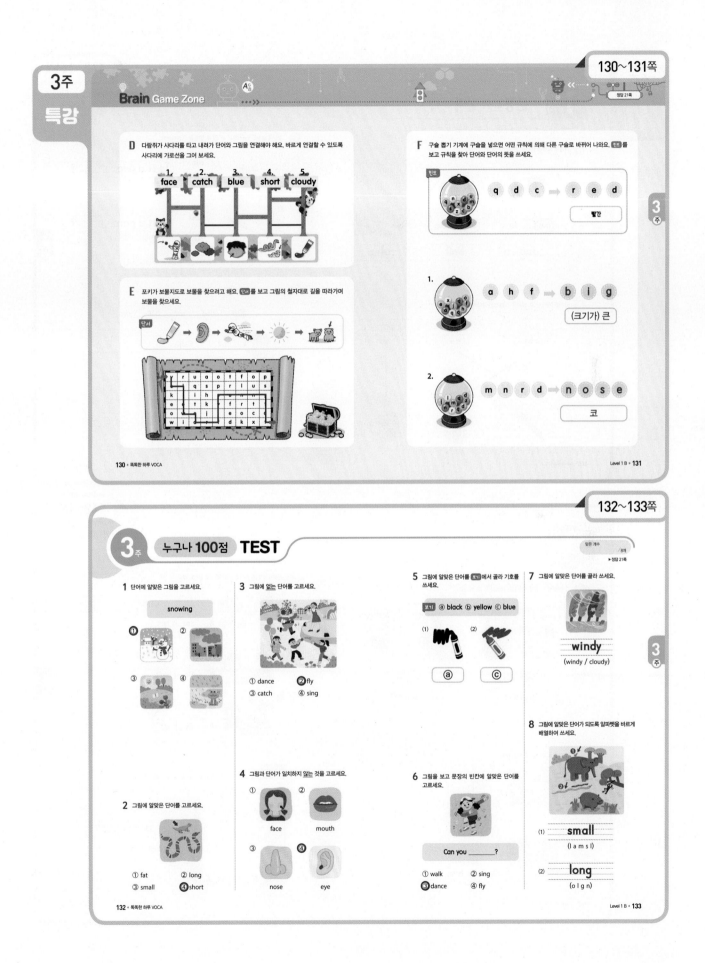

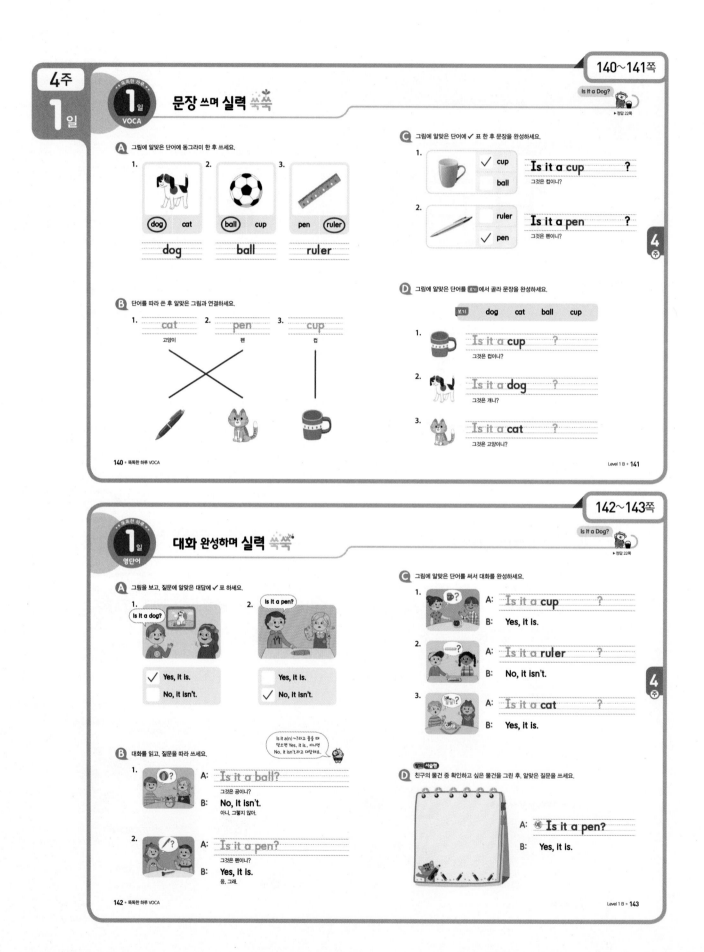

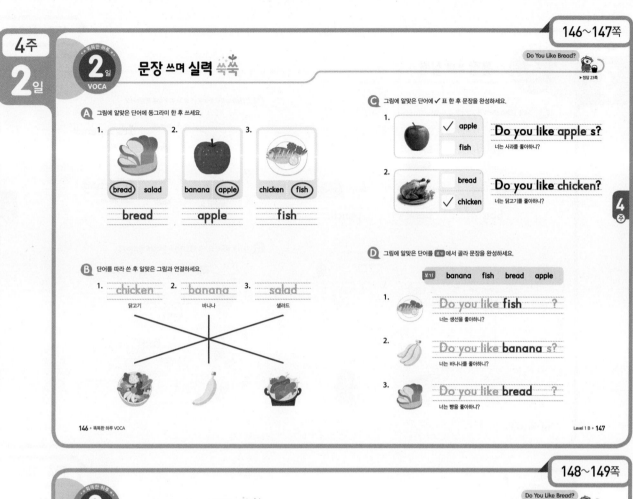

4주

2일 VOCA

문장 쓰며 실력 쑥쑥

Do You Like Bread?

▶ 정답 23쪽

A 그림에 알맞은 단어에 동그라미 한 후 쓰세요.

1. (bread) salad — bread
2. banana (apple) — apple
3. chicken (fish) — fish

B 단어를 따라 쓴 후 알맞은 그림과 연결하세요.

1. chicken 닭고기
2. banana 바나나
3. salad 샐러드

C 그림에 알맞은 단어에 ✓ 표 한 후 문장을 완성하세요.

1. ✓ apple / fish — **Do you like apple s?** 너는 사과를 좋아하니?
2. bread / ✓ chicken — **Do you like chicken?** 너는 닭고기를 좋아하니?

D 그림에 알맞은 단어를 보기 에서 골라 문장을 완성하세요.

보기 banana fish bread apple

1. Do you like **fish** ? 너는 생선을 좋아하니?
2. Do you like **banana** s? 너는 바나나를 좋아하니?
3. Do you like **bread** ? 너는 빵을 좋아하니?

146 • 똑똑한 하루 VOCA

Level 1 B • 147

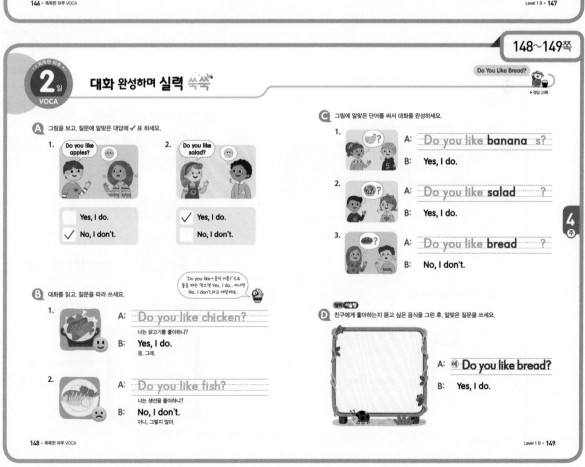

4주

2일 VOCA

대화 완성하며 실력 쑥쑥

Do You Like Bread?

▶ 정답 23쪽

A 그림을 보고, 질문에 알맞은 대답에 ✓ 표 하세요.

1. Do you like apples?
   Yes, I do.
   ✓ No, I don't.

2. Do you like salad?
   ✓ Yes, I do.
   No, I don't.

B 대화를 읽고, 질문을 따라 쓰세요.

'Do you like + 음식 이름?'으로 물을 때는 맞으면 Yes, I do., 아니면 No, I don't.라고 대답해요.

1. A: Do you like chicken? 너는 닭고기를 좋아하니?
   B: Yes, I do. 응, 그래.

2. A: Do you like fish? 너는 생선을 좋아하니?
   B: No, I don't. 아니, 그렇지 않아.

C 그림에 알맞은 단어를 써서 대화를 완성하세요.

1. A: Do you like banana s?
   B: Yes, I do.

2. A: Do you like salad ?
   B: Yes, I do.

3. A: Do you like bread ?
   B: No, I don't.

D 서술형 친구에게 좋아하는지 묻고 싶은 음식을 그린 후, 알맞은 질문을 쓰세요.

A: 예 **Do you like bread?**
B: Yes, I do.

148 • 똑똑한 하루 VOCA

Level 1 B • 149

정답 • **23**

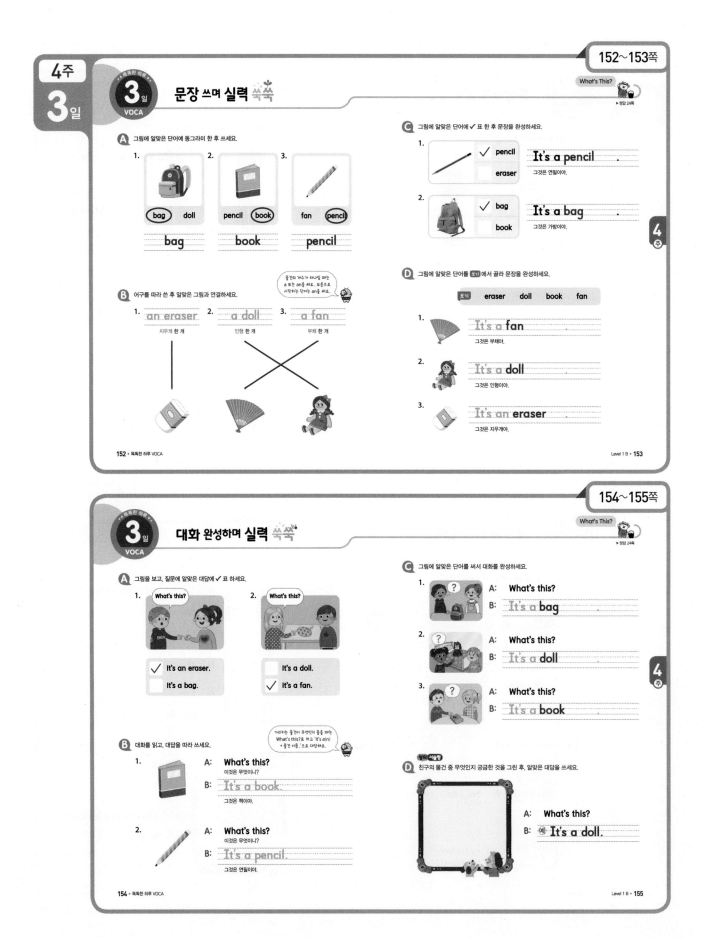

4주 3일

3일 VOCA 문장 쓰며 실력 쑥쑥

What's This?
▶ 정답 24쪽

A 그림에 알맞은 단어에 동그라미 한 후 쓰세요.

1. (bag) doll → bag
2. pencil (book) → book
3. fan (pencil) → pencil

B 어구를 따라 쓴 후 알맞은 그림과 연결하세요.

물건의 개수가 하나일 때는 a 또는 an을 써요. 모음으로 시작하는 단어는 an을 써요.

1. an eraser 지우개 한 개
2. a doll 인형 한 개
3. a fan 부채 한 개

C 그림에 알맞은 단어에 ✓ 표 한 후 문장을 완성하세요.

1. ✓ pencil / eraser → It's a pencil . 그것은 연필이야.
2. ✓ bag / book → It's a bag . 그것은 가방이야.

D 그림에 알맞은 단어를 보기 에서 골라 문장을 완성하세요.

보기 eraser doll book fan

1. It's a fan 그것은 부채야.
2. It's a doll 그것은 인형이야.
3. It's an eraser 그것은 지우개야.

3일 VOCA 대화 완성하며 실력 쑥쑥

What's This?
▶ 정답 24쪽

A 그림을 보고, 질문에 알맞은 대답에 ✓ 표 하세요.

1. What's this?
✓ It's an eraser.
☐ It's a bag.

2. What's this?
☐ It's a doll.
✓ It's a fan.

B 대화를 읽고, 대답을 따라 쓰세요.

가리키는 물건이 무엇인지 물을 때는 What's this?로 하고 'It's a(n) +물건 이름.'으로 대답해요.

1. A: What's this? 이것은 무엇이니?
B: It's a book. 그것은 책이야.

2. A: What's this? 이것은 무엇이니?
B: It's a pencil. 그것은 연필이야.

C 그림에 알맞은 단어를 써서 대화를 완성하세요.

1. A: What's this?
B: It's a bag

2. A: What's this?
B: It's a doll

3. A: What's this?
B: It's a book

창의·서술형
D 친구의 물건 중 무엇인지 궁금한 것을 그린 후, 알맞은 대답을 쓰세요.

A: What's this?
B: 예 It's a doll.

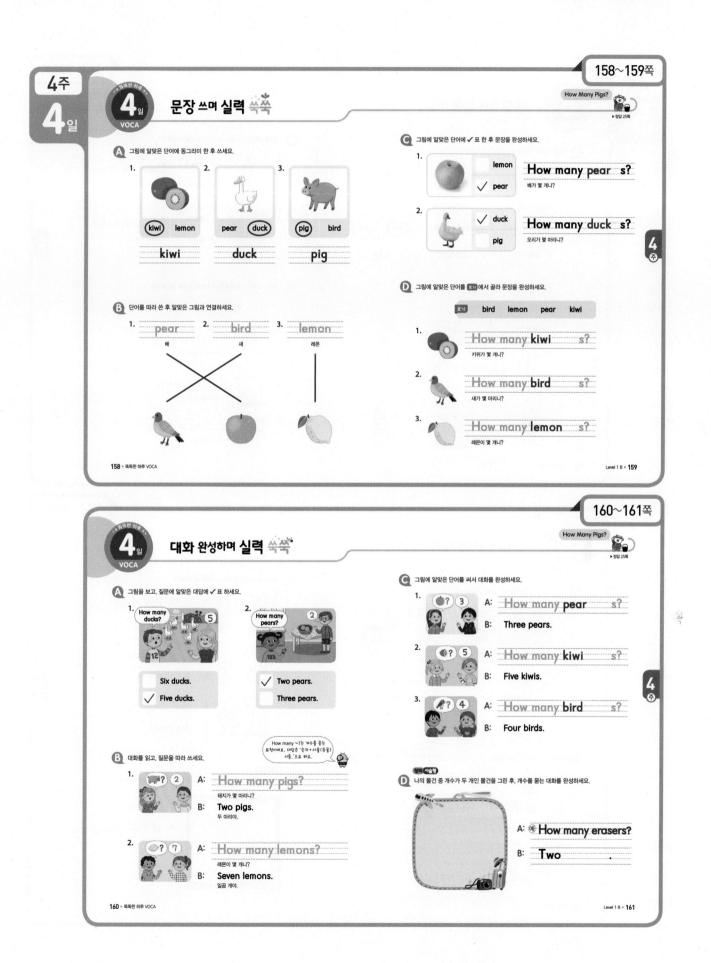

4주 4일

VOCA 4일 문장 쓰며 실력 쑥쑥

How Many Pigs?
▶정답 25쪽

A 그림에 알맞은 단어에 동그라미 한 후 쓰세요.

1. (kiwi) lemon → kiwi
2. pear (duck) → duck
3. (pig) bird → pig

B 단어를 따라 쓴 후 알맞은 그림과 연결하세요.

1. pear 배
2. bird 새
3. lemon 레몬

C 그림에 알맞은 단어에 ✓ 표 한 후 문장을 완성하세요.

1. ☐ lemon ✓ pear
How many pear s?
배가 몇 개니?

2. ✓ duck ☐ pig
How many duck s?
오리가 몇 마리니?

D 그림에 알맞은 단어를 보기 에서 골라 문장을 완성하세요.

보기 bird lemon pear kiwi

1. How many kiwi s?
키위가 몇 개니?

2. How many bird s?
새가 몇 마리니?

3. How many lemon s?
레몬이 몇 개니?

158 • 똑똑한 하루 VOCA

Level 1 B • 159

VOCA 4일 대화 완성하며 실력 쑥쑥

How Many Pigs?
▶정답 25쪽

A 그림을 보고, 질문에 알맞은 대답에 ✓ 표 하세요.

1. How many ducks? 5
☐ Six ducks.
✓ Five ducks.

2. How many pears? 2
✓ Two pears.
☐ Three pears.

B 대화를 읽고, 질문을 따라 쓰세요.

How many ~?는 개수를 묻는 표현이에요. 대답은 '숫자＋사물(동물) 이름'으로 해요.

1. ?2 A: How many pigs?
돼지가 몇 마리니?
B: Two pigs.
두 마리야.

2. ?7 A: How many lemons?
레몬이 몇 개니?
B: Seven lemons.
일곱 개야.

C 그림에 알맞은 단어를 써서 대화를 완성하세요.

1. ?3 A: How many pear s?
B: Three pears.

2. ?5 A: How many kiwi s?
B: Five kiwis.

3. ?4 A: How many bird s?
B: Four birds.

D 서술형 나의 물건 중 개수가 두 개인 물건을 그린 후, 개수를 묻는 대화를 완성하세요.

A: 예 How many erasers?
B: Two .

160 • 똑똑한 하루 VOCA

Level 1 B • 161

4주

5일 VOCA

문장 쓰며 실력 쑥쑥

Can You Sing?

▶ 정답 26쪽

Ⓐ 그림에 알맞은 단어에 동그라미 한 후 쓰세요.

1. 2. 3.

sing (swim)   (dance) skate   (fly) dive

swim   dance   fly

Ⓑ 단어를 따라 쓴 후 알맞은 그림과 연결하세요.

1. skate   2. sing   3. dive
스케이트를 타다   노래하다   다이빙하다

Ⓒ 그림에 알맞은 단어에 ✔ 표 한 후, 문장을 완성하세요.

1. ✔ dance / fly   **Can you dance** ?
너 춤출 수 있니?

2. skate / ✔ swim   **Can you swim** ?
너 수영할 수 있니?

Ⓓ 그림에 알맞은 단어를 보기에서 골라 문장을 완성하세요.

보기 skate   dive   dance   sing

1. Can you sing ?
너 노래할 수 있니?

2. Can you dive ?
너 다이빙할 수 있니?

3. Can you skate ?
너 스케이트 탈 수 있니?

4주

5일 VOCA

대화 완성하며 실력 쑥쑥

Can You Sing?

▶ 정답 26쪽

Ⓐ 그림을 보고, 질문에 알맞은 대답에 ✔ 표 하세요.

1. Can you dive?
✔ Yes, I can.
☐ No, I can't.

2. Can you skate?
☐ Yes, I can.
✔ No, I can't.

Ⓑ 대화를 읽고, 질문을 따라 쓰세요.

'Can you + 동작을 나타내는 말?'로
묻는 질문에 할 수 있으면 Yes, I can.,
할 수 없으면 No, I can't.로 대답해요.

1. A: Can you sing?
너 노래할 수 있니?
B: Yes, I can.
응, 할 수 있어.

2. A: Can you dance?
너 춤출 수 있니?
B: No, I can't.
아니, 못 해.

Ⓒ 그림에 알맞은 단어를 써서 대화를 완성하세요.

1. A: Can you skate ?
B: Yes, I can.

2. A: Can you swim ?
B: No, I can't.

3. A: Can you fly ?
B: No, I can't.

Ⓓ 친의 서술형 친구와 함께하고 싶은 운동을 그린 후, 할 수 있는지 묻는 질문을 쓰세요.

A: 예 Can you skate?
B: Yes, I can.

4주
특강

4주 특강 **Brain** Game Zone

정답 27쪽

배운 내용을 떠올리며 말판 놀이를 해 보세요.

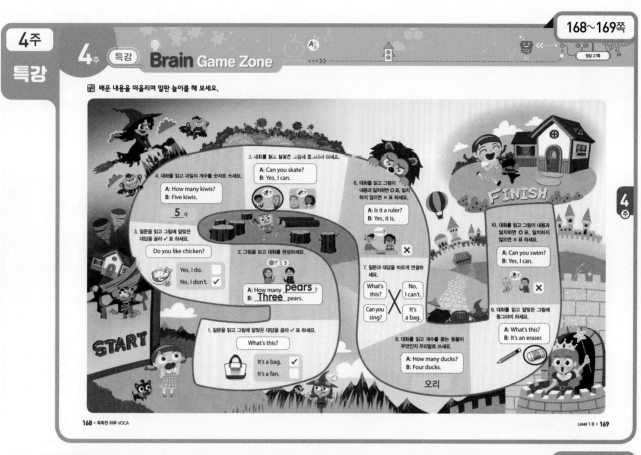

168 · 똑똑한 하루 VOCA

Level 1 B · 169

Brain Game Zone

정답 27쪽

A 원시인이 남긴 암호 글자를 발견했어요. 단서와 힌트를 참고하여 암호문을 풀고, 질문에 대한 대답은 자신의 상황에 맞게 쓰세요.

B 화살표 방향대로 표의 칸을 따라가면 문장이 만들어져요. 힌트를 참고하여 문장을 만들어 대화를 완성하세요.

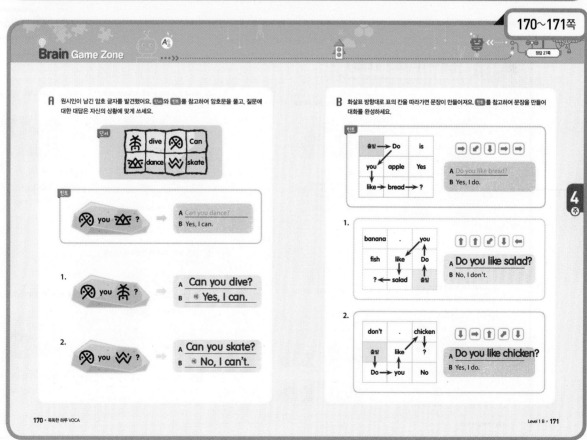

170 · 똑똑한 하루 VOCA

Level 1 B · 171

정답 · **27**

4주 특강

Brain Game Zone

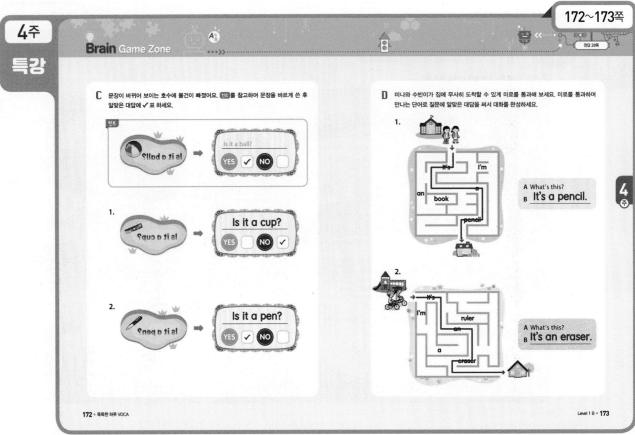

C 문장이 바뀌어 보이는 호수에 물건이 빠졌어요. 힌트를 참고하여 문장을 바르게 쓴 후 알맞은 대답에 ✓ 표 하세요.

D 미나와 수빈이가 집에 무사히 도착할 수 있게 미로를 통과해 보세요. 미로를 통과하며 만나는 단어로 질문에 알맞은 대답을 써서 대화를 완성하세요.

172 · 똑똑한 하루 VOCA

Level 1 B · 173

4주 누구나 100점 TEST

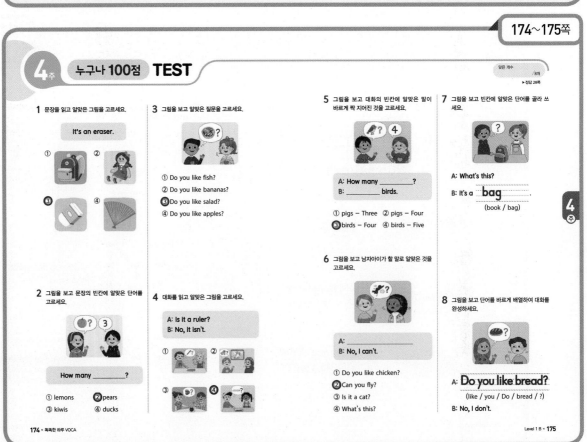

1 문장을 읽고 알맞은 그림을 고르세요.

It's an eraser.

2 그림을 보고 문장의 빈칸에 알맞은 단어를 고르세요.

How many _____?

① lemons   ② pears
③ kiwis   ④ ducks

3 그림을 보고 알맞은 질문을 고르세요.

① Do you like fish?
② Do you like bananas?
③ Do you like salad?
④ Do you like apples?

4 대화를 읽고 알맞은 그림을 고르세요.

A: Is it a ruler?
B: No, it isn't.

5 그림을 보고 대화의 빈칸에 알맞은 말이 바르게 짝 지어진 것을 고르세요.

A: How many _____?
B: _____ birds.

① pigs – Three   ② pigs – Four
③ birds – Four   ④ birds – Five

6 그림을 보고 남자아이가 할 말로 알맞은 것을 고르세요.

A: _____
B: No, I can't.

① Do you like chicken?
② Can you fly?
③ Is it a cat?
④ What's this?

7 그림을 보고 빈칸에 알맞은 단어를 골라 쓰세요.

A: What's this?

B: It's a **bag** _____.
(book / bag)

8 그림을 보고 단어를 바르게 배열하여 대화를 완성하세요.

A: **Do you like bread?**
(like / you / Do / bread / ?)

B: No, I don't.

174 · 똑똑한 하루 VOCA

Level 1 B · 175

매일 조금씩 **공부력** UP

똑똑한 하루
독해&어휘

쉽다!

10분이면 하루 치 공부를 마칠 수 있는
커리큘럼으로, 아이들이 쉽고 재미있게
독해&어휘에 접근할 수 있도록 구성

재미있다!

교과서는 물론 생활 속에서 쉽게
접할 수 있는 다양한 소재를 활용해
흥미로운 학습 유도

똑똑하다!

초등학생에게 꼭 필요한 상식과 함께
창의적 사고력 확장을 돕는
게임 형식의 구성으로 독해력 & 어휘력 학습

공부의 핵심은 독해!
예비초~초6 / 총 6단계, 12권

독해의 시작은 어휘!
예비초~초6 / 총 6단계, 6권

정답은
이안에
있어!

하루 독해   하루 어휘   하루 VOCA

하루 수학   하루 계산   하루 도형

과목	교재 구성	과목	교재 구성
하루 수학	1~6학년 1·2학기 12권	하루 사고력	1~6학년 A·B단계 12권
하루 VOCA	3~6학년 A·B단계 8권	하루 글쓰기	1~6학년 A·B단계 12권
하루 사회	3~6학년 1·2학기 8권	하루 한자	1~6학년 A·B단계 12권
하루 과학	3~6학년 1·2학기 8권	하루 어휘	예비초~6학년 1~6단계 6권
하루 도형	1~6단계 6권	하루 독해	예비초~6학년 A·B단계 12권
하루 계산	1~6학년 A·B단계 12권		

※ 각 교재별 출간 시기는 조금씩 다릅니다.

배움으로 행복한 내일을 꿈꾸는
천재교육 커뮤니티 안내

. . .

교재 안내부터 구매까지 한 번에!
천재교육 홈페이지

천재교육 홈페이지에서는 자사가 발행하는 참고서,
교과서에 대한 소개는 물론 도서 구매도 할 수 있습니다.
회원에게 지급되는 별을 모아 다양한 상품 응모에도
도전해 보세요.

구독, 좋아요는 필수! 핵유용 정보 가득한
천재교육 유튜브 <천재TV>

신간에 대한 자세한 정보가 궁금하세요?
참고서를 어떻게 활용해야 할지 고민인가요?
공부 외 다양한 고민을 해결해 줄 채널이 필요한가요?
학생들에게 꼭 필요한 콘텐츠로 가득한 천재TV로 놀러 오세요!

다양한 교육 꿀팁에 깜짝 이벤트는 덤!
천재교육 인스타그램

천재교육의 새롭고 중요한 소식을 가장 먼저 접하고 싶다면?
천재교육 인스타그램 팔로우가 필수!
누구보다 빠르고 재미있게 천재교육의 소식을 전달합니다.
깜짝 이벤트도 수시로 진행되니 놓치지 마세요!

book.chunjae.co.kr

교재 내용 문의 ·················· 교재 홈페이지 ▶ 초등 ▶ 교재상담
교재 내용 외 문의 ················ 교재 홈페이지 ▶ 고객센터 ▶ 1:1문의
발간 후 발견되는 오류 ·········· 교재 홈페이지 ▶ 초등 ▶ 학습지원 ▶ 학습자료실

63740

9 791125 958932
ISBN 979-11-259-5893-2

정가 15,000원

KC
어린이제품
안전 특별법에
의한 품질 표시

My name~

| 초등학교 |
| 학년 | 반 | 번 |
| 이름 | | |